- De Tien Geboden -

De Wet van God

Dr. Jaerock Lee

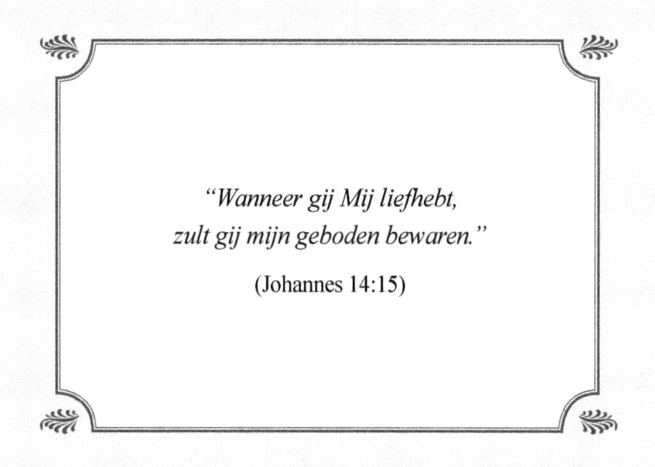

"Wanneer gij Mij liefhebt,
zult gij mijn geboden bewaren."

(Johannes 14:15)

De Wet van God door Dr. Jaerock Lee
Gepubliceerd door Urim Books (Vertegenwoordiger: Sungnam Vin)
73, Yeouidaebang-ro 22-gil, Dongjak-gu, Seoul, Korea
www.urimbooks.com

ISBN: 979-11-263-0549-0 03230

Voorheen gepubliceerd in het Koreaans door Urim Books in 2007

Eerst uitgave januari 2020

Bewerkt door Dr. Geumsun Vin
Ontworpen door de uitgeverij van Urim Books
Gedrukt door Yewon Printing Company
Voor meer informatie, neem contact op met: urimbook@hotmail.com

Inleiding

Terwijl ik bedien, krijg ik vaak vragen zoals, “Waar is God?” of “Toon mij God,” of “Hoe kan ik God ontmoeten?” Mensen stellen dit soort vragen omdat ze niet weten hoe ze God kunnen ontmoeten. Maar de manier om God te ontmoeten is veel gemakkelijker dan we denken. We kunnen God eenvoudigweg ontmoeten door Zijn geboden te leren en ze te gehoorzamen. Ondanks dat vele mensen dit feit weten vanuit hun denken, falen ze echter toch in het gehoorzamen van de geboden, omdat ze de eigenlijke geestelijke betekenis die achter elk gebod zit niet begrijpen, welke voortkwam als een gevolg van de diepe liefde van de Vader voor ons.

Net zoals een individu geschikte opvoeding nodig heeft om zich voor te bereiden om de maatschappij in te gaan, heeft een kind van God de geschikte opvoeding nodig om hem voor te bereiden om de Hemel in te gaan. Dat is het punt waar de Wet van

God komt. De wetten van God, of Zijn Tien Geboden, zouden aan elk nieuw kind van God onderwezen moeten worden, en toegepast moeten worden in ieders Christelijke leven. *De Wet van God* zijn geboden die God voor ons heeft gemaakt als een manier om dichter bij Hem te komen, antwoorden van Hem te ontvangen en samen met Hem te zijn. Met andere woorden, is het leren van *De wet van God* ons toegangsbewijs om God te ontmoeten.

Rond 1446 V.C., net nadat de Israëlieten Egypte hadden verlaten, wilde God hen leiden naar het land vloeiende van melk en honing, anders bekend als het land van Kanaän. Om dit te laten gebeuren, moesten de Israëlieten de wil van God begrijpen, en ze moesten ook weten wat het echt betekende om kinderen van God te worden. Daarom liet God de Tien Geboden, welke Zijn gehele Wet beknopt samenvat, liefdevol graveren op de stenen tafelen (Exodus 24:12). Hij gaf daarna de tafelen aan Mozes, zodat hij de Israëlieten kon onderrichten over hoe te komen waar God hen wilde hebben, wat precies is, in Zijn tegenwoordigheid, door hen de plichten te onderwijzen als kinderen van God.

Ongeveer dertig jaar geleden, nadat ik de levende God ontmoette, begon ik Zijn wetten te leren en te gehoorzamen, terwijl ik naar de kerk ging en elke opwekkingsdienst die ik ook maar kon ontdekken, bezocht. Beginnend met het stoppen met roken, leerde ik de Sabbat te heiligen, getrouw mijn tienden te geven, te bidden, enzovoort. In een klein notieboekje, begon ik mijn zonden, die ik niet onmiddellijk kon verwerpen, vlug op te schrijven. Daarna bad en vastte ik, terwijl ik God vroeg om mij te helpen om Zijn geboden te gehoorzamen. De zegen die ik als resultaat ontving, was ontzagwekkend!

Eerst, zegende God ons gezin lichamelijk, dus niemand van ons werd ziek. Daarna gaf Hij ons zoveel financiële zegeningen dat we ons vrij konden focussen om degenen te helpen die in nood waren. En als laatste, stortte Hij zoveel geestelijke zegeningen over mij uit dat ik nu in staat ben om mij te richten op een wereldwijde bediening in wereld evangelisatie en zendingen.

Wanneer u Gods geboden leert en ze gehoorzaamt, zult u niet alleen voorspoedig zijn in alle gebieden van uw leven, maar zult u ook in staat zijn om de glorie te ervaren die zo stralend als de zon is, eens u in Zijn eeuwige koninkrijk bent binnengegaan.

Dit boek *De Wet van God* is een verzameling van de serie boodschappen die gebaseerd zijn op Zijn Woord, en de inspiratie over "De Tien Geboden" welke ik ontvangen heb tijdens het vasten en bidden een korte periode nadat ik mijn bediening begon. Door deze boodschappen, zijn vele gelovigen de liefde van God gaan begrijpen, zijn een leven begonnen om Zijn geboden te gehoorzamen, en zijn daarbij geestelijk en op alle andere gebieden van hun leven voorspoedig geworden. Bovendien, ervoeren vele gelovigen het ontvangen van antwoorden op al hun gebeden. Maar het belangrijkste was, dat ze een grotere hoop voor de Hemel kregen.

Dus, wanneer u de geestelijke betekenis leert kennen van de Tien Geboden, die in dit boek worden besproken, en de diepe liefde van God gaat begrijpen die ons de Tien Geboden heeft gegeven, en beslist om te leven in gehoorzaamheid aan Zijn geboden, dan kan ik u garanderen dat u ontzagwekkende zegeningen van de Here gaat ontvangen. In Deuteronomium 28:1-2, zegt het dat we in al deze tijden gezegend zullen zijn: *"Indien gij dan aandachtig luistert naar de stem van de Here, uw God, en al zijn geboden, die ik u heden opleg, naarstig onderhoudt, dan zal de Here, uw God, u verheffen boven alle volken der aarde. De volgende zegeningen zullen alle over u komen en uw deel worden, indien gij luistert naar de stem van de Here, uw God."*

Ik wil graag Geumsun Vin, Directeur van de Uitgeverij, Urim Books en haar personeel bedanken voor hun ongeëvenaarde toewijding en onbetaalbare bijdrage om dit boek te maken. Ik bid ook in de naam van onze Heer dat al degene die dit boek lezen, gemakkelijk de wetten van God zullen begrijpen en Zijn geboden zullen gehoorzamen om een meer geliefd en daarom ook een meer gezegend kind van God te worden!

Jaerock Lee

Voorwoord

We geven alle glorie aan God, de Vader die ons heeft toegestaan om de studie van de Tien Geboden, welke het hart en de wil van God bevatten, te verzamelen, in dit boek, *De Wet van God.*

Ten eerste, vult "De liefde van God opgenomen in de Tien Geboden," de lezer met de nodige achtergrondinformatie over de Tien Geboden. Het beantwoordt de vragen, "Wat zijn nu precies de Tien Geboden?" Dit hoofdstuk legt ook uit dat God ons de Tien Geboden heeft gegeven omdat Hij ons liefheeft, en Hij ons ultiem wil zegenen. Dus, wanneer wij elk gebod gehoorzamen met de kracht van Gods liefde, dan zullen wij alle zegeningen die hij voor ons verzameld, ontvangen.

In "Het Eerste Gebod," leren we dat wanneer iemand God liefheeft, hij of zij gemakkelijk Zijn geboden kan gehoorzamen.

Dit hoofdstuk gaat ook over de vraag waarom God in Zijn eerste gebod ons beveelt om geen andere goden boven Hem te plaatsen.

"Het Tweede Gebod" bedekt de belangrijkheid om nooit valse afgoden te aanbidden – of in een geestelijke zin – om niets meer lief te hebben boven God. Hier, kunnen we ook leren over de geestelijke consequenties van wanneer we valse afgoden aanbidden en wanneer we dat niet doen, en de specifieke zegeningen en vloeken die in ons leven komen als gevolg.

Het hoofdstuk over "Het Derde Gebod" legt uit wat het betekent om de naam van de Here ijdel te gebruiken, en wat iemand zou moeten doen om dit te voorkomen.

In "Het Vierde Gebod" leren we de echte betekenis van de "Sabbat," en waarom de Sabbat veranderd is van zaterdag naar zondag, bewegend van het Oude Testament naar het Nieuwe Testament. Dit hoofdstuk legt voornamelijk op drie verschillende manieren uit, hoe iemand de Sabbat dag zou moeten heiligen. Dit hoofdstuk beschrijft ook de voorwaarden voor welke uitzonderingen dit gebod kan worden toegepast –

wanneer werken en zakelijke transactie toegestaan zijn op de Sabbatdag.

"Het Vijfde Gebod" legt tot in detail uit hoe iemand zijn ouders op een goddelijke manier zou moeten eren. We leren ook over wat het betekent om God, die de Vader van onze geesten is, te eren, en wat voor soort zegeningen we ontvangen wanneer we Hem en onze fysieke ouders eren, in Zijn waarheid.

Het hoofdstuk over "Het Zesde Gebod" bestaat uit twee delen: het eerste deel richt zich op het plegen van de zonde van fysieke moord, en het tweede deel richt zich op de zonde van moord binnenin iemands hart, waar vele gelovigen schuldig aan kunnen zijn, maar zelden beseffen dat ze die hebben gedaan.

"Het Zevende Gebod" gaat over de zonde van fysiek overspel en de zonde van overspel in iemands hart of denken, welke eigenlijk het meest angstaanjagende is van de twee zonden. Dit hoofdstuk gaat ook over de geestelijke betekenis van het plegen van deze zonde, en het proces van bidden en vasten, waardoor iemand deze zonde kan verwerpen door de hulp van de Heilige Geest en Gods genade en kracht.

"Het Achtste Gebod" beschrijft de fysieke definitie van stelen en de geestelijke definitie van stelen. Dit hoofdstuk legt ook vooral uit hoe iemand de zonde van stelen van God doet door te falen in het geven van zijn tienden en offers, of zelfs het Woord van God misbruikt.

"Het Negende Gebod" gaat over de drie verschillende typen van het geven van een vals getuigenis, of liegen. Dit hoofdstuk legt ook de nadruk op hoe iemand de wortel van misleiding uit zijn hart kan rukken door zijn hart in de plaats daarvan te vullen met de waarheid.

"Het Tiende Gebod" legt ons de voorbeelden uit waar we kunnen zondigen als gevolg van het begeren van onze naaste. We kunnen ook leren dat de ware zegen, voorspoed voor onze ziel is, omdat wanneer onze ziel voorspoedig is, we de zegen ontvangen om in alle gebieden van ons leven voorspoedig te zijn.

Uiteindelijk, leren we in het laatste hoofdstuk "De Wet van verblijven met God," wanneer we de bediening van Jezus Christus bestuderen die de Wet met liefde vervulde, dat we lief moeten hebben om het Woord van God te vervullen. En leren ook over het soort van liefde die zelfs boven gerechtigheid gaat.

Ik hoop dat deze tekst u, de lezer, zal helpen om de geestelijke betekenis van de Tien Geboden te begrijpen. En wanneer u de geboden van de Here gehoorzaamt, dat u altijd in de stralende tegenwoordigheid van God mag zijn. Ik bid ook in de naam van de Here, dat terwijl u Zijn wetten vervult, u mag komen in een plaats in uw geestelijke leven, waarin al uw gebeden worden beantwoord, en Zijn zegeningen u op alle gebieden in uw leven overstromen!

Geumsun Vin

Directeur van de Uitgeverij

Inhoudsopgave

Hoofdstuk 1

De liefde van God opgenomen in de Tien Geboden

Exodus 20:5-6

"Gij zult u voor die niet buigen, noch hen dienen; want Ik, de Here, uw God, ben een naijverig God, die de ongerechtigheid der vaderen bezoek aan de kinderen, aan het derde en aan het vierde geslacht van hen die Mij haten, en die barmhartigheid doe aan duizenden van hen die Mij liefhebben en mijn geboden onderhouden."

Vierduizend jaar geleden, koos God Abraham als de vader van geloof. God zegende Abraham en maakte een verbond met hem, belovende dat zijn nakomelingen "zo talrijk zouden zijn als de sterren des hemels en als het zand aan de oever."

En in Zijn tijd, vormde God getrouw de natie Israël door de twaalf zonen van Abraham's kleinzoon, Jakob. Onder Gods voorziening, verhuisden Jakob en zijn zonen naar Egypte om te ontkomen aan de hongersnood en leefden daar voor 400 jaar. Dit was allemaal deel van Gods liefelijke plan om hen te beschermen van de invallen van de heiden naties, totdat ze konden groeien in een grote en sterke natie.

Jakob's familie groeide van wat bestond uit zeventig personen – toen zij eerst naar Egypte verhuisden – in een aantal groot genoeg om een natie te vormen. En terwijl deze natie sterker groeide, koos God een persoon, genaamd Mozes, om de leider over de Israëlieten te worden. God leidde dit volk toen naar het Beloofde Land van Kanaän, het land vloeiende van melk en honing.

De Tien Geboden waren de liefdevolle woorden die God aan de Israëlieten gaf, terwijl Hij hen naar het Beloofde Land leidde.

Voor de Israëlieten om het gezegende land van Kanaän binnen te gaan, moesten zij aan twee vereisten voldoen; ze moesten geloof in God hebben; en ze moesten Hem gehoorzamen. Echter, zonder vastgestelde regels voor hun geloof en gehoorzaamheid, zouden zij niet hebben begrepen wat het werkelijk betekende om geloof te hebben en gehoorzaam te zijn. Dat is de reden waarom God hen de Tien Geboden heeft gegeven door hun leider Mozes.

De Tien Geboden zijn een lijst van regels, die een standaard voor de mensheid plaatst, om te volgen, maar God heeft hen niet als Alleenheerser gedwongen om deze geboden te gehoorzamen. Alleen nadat Hij Zijn wonderlijke kracht had laten zien en ervaren aan hen – door de tien plagen over Egypte te zenden, het scheiden van de Rode Zee, het bitter water veranderen in zoet water bij Mara, het voeden van de Israëlieten met manna en kwakkels – gaf Hij hen de Tien Geboden om te volgen.

Het belangrijkste deel van informatie hier is dat elk woord van God, inclusief de Tien Geboden, niet alleen aan de Israëlieten zijn gegeven, maar aan al degenen die vandaag in Hem geloven, als een kortere weg om Zijn liefde en zegeningen te ontvangen.

Het hart van God die de geboden gaf

Terwijl ouders hun kinderen opvoeden, onderwijzen ze hun kinderen talloze regels; regels zoals "Je moet je handen wassen nadat je buiten hebt gespeeld," of "bedek je altijd met een deken wanneer je slaapt," of "steek nooit de straat over bij een rood verkeerslicht."

Ouders bestoken hun kinderen niet met deze regels om het moeilijk voor ze te maken. Ze onderwijzen al deze regels aan hun kinderen, omdat ze van hen houden. Het is vanzelfsprekend het verlangen van ouders om hun kinderen te beschermen tegen ziekten en gevaren, om ze in een veilige omgeving te laten zijn, en hen te helpen om vredevol te leven, tijdens hun hele leven. Om diezelfde reden heeft God de Tien Geboden aan ons, Zijn kinderen gegeven: omdat Hij van ons houdt.

In Exodus 15:26, zegt God, *"Indien gij aandachtig luistert naar de stem van de Here, uw God, en doet wat recht is in zijn ogen, en uw oor neigt tot zijn geboden en al zijn inzettingen onderhoudt, zal Ik u geen enkele van de kwalen opleggen, die Ik de Egyptenaren opgelegd heb; want Ik, de Here, ben uw Heelmeester."*

In Leviticus 26:3-5, zegt Hij, *"Indien gij in mijn inzettingen wandelt en mijn geboden nauwgezet in acht neemt, dan zal Ik u te rechter tijd uw regens geven, zodat het land zijn opbrengst geeft en het geboomte des velds zijn vrucht draagt; de dorstijd zal bij u duren tot de wijnoogst, en de wijnoogst tot de zaaitijd; gij zult uw brood eten tot verzadiging en veilig in uw land wonen."*

God gaf ons de geboden, zodat we kunnen weten hoe we van Hem, Zijn zegeningen en antwoorden op onze gebeden kunnen ontvangen, en ten slotte ons leven te kunnen leven in vrede en blijdschap.

Een andere reden waarom we Gods wetten moeten

gehoorzamen, inclusief de Tien Geboden, is vanwege de rechtvaardige wetten van de geestelijke wereld. Net zoals ieder land zijn eigen wetten heeft, heeft Gods koninkrijk geestelijke wetten die zijn opgesteld door God. Ondanks dat God het heelal schiep en Hij de Schepper is, die de absolute heerschappij heeft over leven, dood, vloek en zegen, is Hij toch geen totalitair. Om die reden, ondanks dat Hij de Schepper van de wet is, houdt Hij Zich strikt aan deze wetten.

Net zoals wij door de wetten van het land, waarvan wij burgers zijn, leven, zouden wij als wij Jezus Christus hebben aangenomen als onze Redder en Gods kinderen zijn geworden en dus burgers van Zijn koninkrijk zijn, rechtmatig door de wetten van God en Zijn koninkrijk moeten leven.

In 1 Koningen 2:3 staat geschreven, *"En neem uw plicht jegens de Here, uw God, in acht: wandel op zijn wegen en onderhoud zijn inzettingen, geboden, verordeningen en getuigenissen, zoals geschreven staat in de wet van Mozes, opdat gij voorspoedig volvoeren moogt alles wat gij doet en alles wat gij onderneemt."*

Zich houden aan Gods wetten betekent de woorden van God gehoorzamen, inclusief de Tien Geboden, welke zijn opgeschreven in de Bijbel. Wanneer u zich aan deze wetten houdt, kunt u overal waar u gaat, Gods bescherming en zegeningen en voorspoed ontvangen.

Integendeel, wanneer u Gods wetten overtreedt, heeft de

vijand, Satan het recht om verleidingen en moeilijkheden op uw pad te brengen, dus kan God u niet beschermen. Om Gods geboden te overtreden is een zonde, en dan wordt u dus een slaaf van de zonde en van Satan, die u ten slotte naar de hel zal leiden.

God wil ons zegenen

Dus de hoofdreden waarom God ons de Tien Geboden gaf, is omdat Hij van ons houdt en ons wil zegenen. Hij wil niet alleen dat wij de eeuwige zegeningen in de hemel ervaren, maar Hij wil ook dat wij Zijn zegeningen op aarde ontvangen en voorspoedig zijn in alles wat we doen. Wanneer we die liefde van God beseffen, kunnen we alleen maar dankbaar zijn dat God ons de geboden heeft gegeven en Zijn geboden blijmoedig gehoorzamen.

We kunnen zien dat kinderen, eens ze echt beseffen hoeveel hun ouders van hen houden, echt hun best doen om hun ouders te gehoorzamen. Zelfs wanneer ze falen om gehoorzaam te zijn aan hun ouders en worden bestraft, omdat ze begrijpen dat hun ouders uit liefde handelen, zullen ze misschien zeggen, "Mama/ papa, ik zal de volgende keer proberen om het beter te doen," en rennen liefdevol in de armen van hun ouders. En terwijl ze ouder worden en een dieper begrip hebben van de liefde van hun ouders en hun bezorgdheid, zullen kinderen zich houden aan datgene wat ze geleerd hebben van hun ouders, en vreugde brengen aan hen.

Hun ouders echte liefde is wat deze kinderen de kracht geeft om te gehoorzamen. Dat is hetzelfde als wij geheel Gods Woord onderhouden wat is opgeschreven in de Bijbel. Mensen proberen hun best te doen om de geboden te onderhouden eens zij begrijpen dat God ons zo liefhad dat Hij Zijn enige Zoon, Jezus Christus zond, naar deze wereld om te sterven aan het kruis voor ons.

In feite, hoe groter het geloof is in het feit dat deze Jezus Christus, die geen enkele zonde heeft gedaan, en alle soorten van vervolgingen nam, toen Hij voor onze zonden aan het kruis stierf, des te meer vreugde wij zullen hebben wanneer wij deze geboden gehoorzamen.

De zegeningen die wij ontvangen wanneer wij in Zijn geboden verblijven

Onze voorvaders van het geloof, die elk woord van God gehoorzaamden en nauwgezet leefden overeenkomstig Zijn geboden, ontvingen grote zegeningen en verheerlijkten God, de Vader met geheel hun hart. En vandaag, schijnen zij op ons het eeuwige licht van waarheid dat nooit dooft.

Abraham, Daniël, en de apostel Paulus zijn enkele van deze mensen van geloof. En zelfs vandaag, zijn er mensen van geloof die verder gaan om datgene te doen wat deze mensen deden.

Bijvoorbeeld, de zestiende president van de Verenigde Staten, Abraham Lincoln, was maar negen maanden naar school geweest, maar vanwege zijn lofwaardig karakter en deugdzaamheden, werd hij geliefd en gerespecteerd door vele mensen, zelfs tot op heden. Abraham's moeder, Nancy Hanks Lincoln, stierf toen Lincoln nog maar negen jaar was, maar terwijl zij leefde, onderwees zij hem om korte verzen vanuit de Bijbel te leren en Gods geboden te gehoorzamen.

En toen ze wist dat ze zou sterven, riep ze haar zoon tot zich en liet hem achter met deze laatste woorden, "Ik wil dat je God liefhebt en Zijn geboden gehoorzaamt." Terwijl Abraham Lincoln opgroeide, werd hij een beroemd politicus, en veranderde de geschiedenis met zijn beweging om slavernij af te schaffen, de zesenzestig boeken van de Bijbel waren altijd aan zijn zijde. Voor mensen zoals Lincoln, die dicht bij God verblijven en door Zijn Woorden leven, laat God altijd het bewijs van Zijn liefde zien aan hen.

Het was niet lang nadat ik onze gemeente begon, dat ik een echtpaar bezocht dat voor vele jaren getrouwd was, maar geen kinderen konden krijgen. Door de leiding van de Heilige Geest, leidde ik de aanbidding en zegende het echtpaar. Toen deed ik een verzoek aan hen, ik vroeg hen of ze de Sabbatdag wilden heiligen door God elke zondag te aanbidden, hun tienden wilden geven en de Tien Geboden zouden gehoorzamen.

Dit nieuw gelovig echtpaar begon elke zondag de aanbiddingdienst bij te wonen en gaven hun tienden, overeenkomstig Gods geboden. Als gevolg, ontvingen zij de zegen van het krijgen van kinderen en gaven geboorte aan gezonde kinderen. Niet alleen dat, maar ze ontvingen ook grote financiële zegeningen. Nu, dient de man de gemeente als oudste en het hele gezin is een grote ondersteuning in het helpen en evangelisatie.

Het verblijven in Gods geboden is als het houden van een lamp in volkomen duisternis. Wanneer we een heldere lamp hebben, moeten wij ons geen zorgen maken dat wij over iets zullen struikelen in de duisternis. Evenzo, wanneer God, die Licht is, met ons is, beschermt Hij ons in alle omstandigheden, en zijn we in staat om te genieten van de zegeningen en de autoriteit die bestemd is voor al Gods kinderen.

De sleutel om alles te ontvangen waar u om vraagt

In 1 Johannes 3:21-22 zegt het, *"Geliefden, als ons hart ons niet veroordeelt, hebben wij vrijmoedigheid tegenover God, en ontvangen wij van Hem al wat wij bidden, daar wij zijn geboden bewaren en doen wat welgevallig is voor zijn aangezicht."*

Is het niet geweldig om te weten dat wanneer wij slechts de geboden gehoorzamen die in de Bijbel zijn geschreven en datgene doen wat God welgevallig is, wij vrijmoedig alle aan Hem kunnen vragen en dat Hij ons zal antwoorden? Hoe gelukkig is God dan wel niet, die met Zijn vurige ogen waakt over Zijn gehoorzame kinderen en in staat is om al hun gebeden te antwoorden, overeenkomstig de wetten van de geestelijke wereld!

Dat is de reden waarom Gods Tien Geboden als een leerboek van liefde is, dat ons de beste weg onderwijst om Gods zegeningen te ontvangen terwijl we ons ontwikkelen op deze aarde. De Geboden leren ons hoe we rampen of calamiteiten kunnen vermijden en hoe wij zegeningen kunnen ontvangen.

God gaf ons niet de geboden om degenen te straffen die ze niet gehoorzamen, maar om ons te laten genieten van de eeuwige zegeningen in Zijn mooi koninkrijk van de Hemel, door Zijn geboden te gehoorzamen (1 Timotheüs 2:4). Wanneer u Gods hart begint te voelen en te begrijpen, en te leven door Zijn geboden, kunt u zelfs meer van Zijn liefde ontvangen.

Bovendien, terwijl we elk gebod van dichtbij gaan bestuderen, en wanneer u elk gebod volledig gehoorzaamt met de kracht die God liefelijk voor u voorziet, zou u in staat moeten zijn om alle zegeningen die u van Hem wilt, te ontvangen.

Hoofdstuk 2

Het Eerste Gebod

"Gij zult geen andere goden voor Mijn aangezicht hebben"

Exodus 20:1-3

Toen sprak God al deze woorden:
"Ik ben de Here, uw God, die u uit het land Egypte, uit het diensthuis, geleid heb. Gij zult geen andere goden voor mijn aangezicht hebben."

Twee mensen die van elkaar houden, hebben vreugde als ze bij elkaar zijn. Dat is de reden waarom twee geliefden samen in het midden van de winter zelfs de koude niet voelen, en dat is dan ook de reden waarom zij alles kunnen doen wat de anderen van hen vragen, ongeacht hoe moeilijk de taak is, zolang het die andere persoon maar gelukkig maakt. Zelfs wanneer zij zichzelf moeten offeren voor de andere persoon, zijn ze gelukkig dat ze iets kunnen doen voor die andere persoon, en zijn ze blij wanneer zij de vreugde zien op het gezicht van die andere persoon.

Dit is gelijkvormig aan onze liefde voor God. Wanneer wij God waarlijk liefhebben, dan zou het gehoorzamen van Zijn geboden geen last moeten zijn; maar het zou ons eerder vreugde moeten brengen.

De Tien Geboden die Gods kinderen zouden moeten gehoorzamen

Tegenwoordig, zeggen sommige mensen die zich gelovigen noemen, "Hoe kunnen wij al Gods Tien Geboden gehoorzamen?" Ze zeggen eigenlijk, omdat mensen niet volmaakt zijn, is het onmogelijk dat we de Tien Geboden volledig kunnen gehoorzamen. We kunnen alleen maar proberen om alle Geboden te gehoorzamen.

Maar in 1 Johannes 5:3, staat geschreven, *"Want dit is de*

liefde Gods, dat wij zijn geboden bewaren. En zijn geboden zijn niet zwaar." Dit betekent dat het bewijs dat we God liefhebben ligt in onze gehoorzaamheid van Zijn geboden, en Zijn Geboden zijn niet zwaar genoeg dat we ze niet zouden kunnen gehoorzamen.

In het Oude Testament, moesten de mensen de geboden gehoorzamen vanuit hun eigen wil en kracht, maar nu in het Nieuwe Testament, heeft iedereen die Jezus Christus heeft aangenomen, de Heilige Geest ontvangen die hem helpt om te gehoorzamen.

De Heilige Geest is één met God, en als Gods hart, heeft de Heilige Geest de rol om de kinderen van God te helpen. Dat is de reden waarom de Heilige Geest nu en dan voorbede voor ons doet, ons vertroost, ons leidt in onze daden, en de liefde van God in onze harten uitstort, zodat we zelfs tot bloedens toe kunnen strijden tegen de zonde, en kunnen handelen naar de wil van God (Handelingen 9:31, 20:28; Romeinen 5:5, 8:26).

Wanneer we deze kracht van de Heilige Geest ontvangen, kunnen we de liefde van God, die ons Zijn enige Zoon gaf, diep begrijpen, en kunnen dan ook gemakkelijk gehoorzamen, aan datgene wat we niet kunnen gehoorzamen vanuit onze eigen wil en kracht. Er zijn mensen die nog steeds zeggen dat het moeilijk is om Gods geboden te gehoorzamen en het zelfs niet proberen om ze te gehoorzamen. En ze blijven voortdurend leven in de zonden. Deze mensen hebben God niet echt lief vanuit het diepst van hun harten.

In 1 Johannes 1:6 zegt het, *"Indien wij zeggen, dat wij gemeenschap met Hem hebben en in de duisternis wandelen, dan liegen wij en doen de waarheid niet"* en in 1 Johannes 2:4, zegt het, *"Wie zegt: Ik ken Hem, en zijn geboden niet bewaart, is een leugenaar en in die is de waarheid niet."*

Wanneer iemand Gods Woord, welke de waarheid en het zaad des levens is, in zich heeft, kan hij niet zondigen. Hij zal geleid worden om in de waarheid te leven. Dus wanneer iemand beweert in God te geloven, maar Zijn geboden niet gehoorzaamt, betekent dat dat de waarheid niet echt in hem is, en hij tegen God liegt.

Wat is dan het eerste gebod dat Gods kinderen moeten gehoorzamen, om hun liefde aan God te bewijzen?

"Gij zult geen andere goden voor Mijn aangezicht hebben"

Het "Gij" hier verwijst naar Mozes, die de Tien Geboden rechtstreeks van God ontving, de Israëlieten die de geboden door Mozes ontvangen, en al Gods kinderen vandaag de dag, die gered zijn door de naam van de Here. Waarom denkt u dat God Zijn volk als het eerste gebod beveelt om geen andere goden te aanbidden?

Dat komt omdat God alleen de Enige Waarachtige en Levende God is, de Almachtige Schepper van het heelal. Ook, heeft alleen God de uiterste heerschappij over het heelal, de geschiedenis van de mensheid, leven en dood, en Hij geeft echt leven en eeuwig leven aan de mens.

God is Degene die ons redt van onze gebondenheid van zonde in deze wereld. Dat is de reden waarom wij naast de ene en enige God, geen andere goden in ons hart moeten plaatsen.

Maar vele dwaze mensen nemen afstand van God en spenderen hun leven in het aanbidden van vele valse afgoden. Sommigen aanbidden het beeld van Boeddha, wat niet eens kan knipperen met de ogen, sommigen aanbidden een stenen beeld, sommigen aanbidden oude bomen, en sommigen richten zich zelfs naar de Noordpool en aanbidden het.

Sommige mensen aanbidden de natuur en ze noemen de namen van zovele valse afgoden door dode mensen te verafgoden. Elk ras en elke natie heeft zijn eigen deel van afgoden. Alleen al in Japan zeggen ze dat ze zovele afgoden hebben, dat er meer dan acht miljoen verschillende goden zijn.

Dus waarom denkt u dat mensen al deze valse afgoden maken en ze aanbidden? Dat komt omdat ze een manier zoeken om zichzelf te vertroosten, of ze volgen alleen maar hun voorvaders gewoonten, die verkeerd zijn. Of, ze hebben misschien een zelfzuchtig verlangen om meer zegeningen of meer geluk te ontvangen, door vele verschillende goden te aanbidden.

Maar we moeten één ding duidelijk maken en dat is dat er buiten God, de Schepper, geen andere god is die de kracht heeft om ons te zegenen, laat staan om ons te redden.

Bewijzen in de natuur van God, de Schepper

Er staat geschreven in Romeinen 1:20, *"Want hetgeen van Hem niet gezien kan worden, zijn eeuwige kracht en goddelijkheid, wordt sedert de schepping der wereld uit zijn werken met het verstand doorzien, zodat zij geen verontschuldiging hebben."* Wanneer wij kijken naar de principes van het heelal, kunnen we zien dat er een absolute Schepper bestaat, en dat er slechts één God, Schepper is.

Bijvoorbeeld, wanneer we naar het menselijk ras kijken op deze aarde, hebben alle lichamen van de mensen dezelfde structuur en functie. Of een persoon nu zwart of blank is, ongeacht van welk ras ze zijn, of van welk land zij komen, ze hebben twee ogen, twee oren, een neus en een mond, allemaal op dezelfde plaats van het gezicht. Bovendien, is dat ook zo bij de dieren.

Olifanten zijn dieren met een lange neus. Maar merk wel op dat ze een lange neus hebben, met twee neusgaten. Konijnen, met lange oren, en woeste leeuwen hebben ook hetzelfde aantal ogen, mond en oren, allemaal op dezelfde plaats als mensen. Talloze levende organismen, zoals dieren, vissen, vogels en zelfs insecten – afgezien van de speciale kenmerken die hen verschillend van elkaar maken – hebben dezelfde lichamelijke structuur en functies. Dit bewijst dat er één schepper is.

Ook natuurverschijnselen bewijzen duidelijk het bestaan van God, de Schepper. Eén keer per dag, maakt de aarde een volledige draaiing om haar as, en één keer per jaar, maakt het een omwenteling om de zon, en een keer per maand draait de maan om de aarde. Mede door deze draaiingen en omwentelingen, kunnen we vele natuurlijke gebeurtenissen op een reguliere basis ervaren. We hebben nacht en dag, en de vier verschillende seizoenen. We hebben vloed en eb, en mede door de thermiek veranderingen, ervaren we atmosferische circulaties.

De locatie en beweging van de aarde maakt deze planeet een perfecte verblijfplaats voor de overleving van de mensheid, en alle andere levende organismen. De afstand tussen de zon en de aarde, kon niet dichter of verder weg zijn. De afstand tussen de zon en de aarde is altijd, sinds het begin van de tijd, op de meest perfecte afstand geweest, en de draaiing en omwenteling rond de zon, gebeuren al heel lang, zonder enige fout.

Omdat het heelal geschapen werd door, en werkt onder de wijsheid van God, gebeuren er elke dag, zoveel onvoorstelbare dingen die de mens nooit volledig kan begrijpen.

Met al deze duidelijke bewijzen, kan niemand het volgende excuus geven op de dag van het laatste oordeel, "Ik kon niet geloven, omdat ik niet wist of God echt bestond."

Op een dag, vroeg Sir Isaac Newton een ervaren mecanicien om een vervalst model van het zonnestelsel te maken. Een atheïstische vriend van hem, kwam hem op een dag bezoeken en zag het model van het zonnestelsel. Zonder erover na te denken, draaide hij de zwengel om en er gebeurde echt iets wonderlijks. Elke planeet van het model begon te draaien om de zon op een ander tempo!

De vriend kon zijn verwondering niet verbergen en zei verrast, "Dit is echt een excellent model! Wie heeft dit gemaakt?" Wat denkt u dat het antwoord van Newton was? Hij zei, "O, niemand heeft het gemaakt. Het viel allemaal per ongeluk in elkaar."

De vriend dacht dat Newton een grapje met hem uithaalde, en gaf als weerwoord, "Wat?! Denkt u dat ik een dwaas ben? Hoe is het mogelijk dat een ingewikkeld model als dit, zomaar uit het niets verschijnt?"

Hierop antwoordde Newton, "Dit is slechts een klein model van het echte zonnestelsel. U argumenteert nu dat een eenvoudig model zoals dit niet zomaar kan ontstaan zonder een ontwerper of maker. Hoe kunt u dan verklaren dat iemand gelooft dat het echte zonnestelsel, welke veel gecompliceerder en groter is, zomaar uit het niets is gekomen, zonder een Schepper?"

Dit schreef Newton in zijn boek *The Philosophiæ Naturalis Principia Mathematica* wat betekent "De wiskundige beginselen van de natuurfilosofie", en wordt vaak genoemd Principia, "Dit mooiste system van de zon, planeten, en kometen, kan alleen komen uit de raad en heerschappij van een intelligent en krachtig Wezen. ...Hij [God] is eeuwig en oneindig."

Dat is de reden waarom een groot aantal wetenschappers, die de wetten van de natuur bestuderen, christenen zijn. Des te meer ze de natuur en het universum bestuderen, des te meer zij de almachtige kracht van God ontdekken.

Bovendien, door de wonderen en tekenen die gebeuren en verschijnen aan gelovigen, door Gods dienstknechten en werkers die geliefd en erkend zijn door Hem, en door de geschiedenis van de mensheid die de profetieën van de Bijbel vervulden, laat God ons vele bewijzen zien, zodat er in Hem, de levende God, kan worden geloofd.

Mensen die God, de Schepper erkennen zonder het evangelie te horen

Wanneer u kijkt naar de geschiedenis van de mensheid, kunt u zien dat mensen met goede harten, die nooit het evangelie hebben gehoord, de ene en enige God, de Schepper erkennen en proberen te leven in gerechtigheid.

Mensen met onreine en verwarde harten, aanbidden vele verschillende goden om zichzelf te vertroosten. Aan de andere kant, mensen met oprechte en reine harten aanbidden en dienen één God, de Schepper, ondanks dat ze niets over God weten.

Bijvoorbeeld, Admiraal Soonshin Yi, die leefde tijdens de Chosun Dynastie in Korea, diende zijn land, de koning, en zijn volk met zijn hele leven. Hij eerde zijn ouders, en gedurende zijn gehele leven probeerde hij nooit zijn eigen voordeel te zoeken, maar offerde zichzelf eerder op voor anderen. Ondanks dat hij niets van God wist en onze Her Jezus niet kende, aanbad hij geen sjamanen, demonen of boze geesten, maar met een goed geweten, keek hij voorwaarts naar de hemel en geloofde in een Schepper.

Deze goede mensen hebben nooit over God geleerd, maar u kunt zien dat ze altijd probeerden om een rein en waarachtig leven te leiden. God opende een weg voor dit soort mensen om ook gered te kunnen worden, door "Het oordeel van het geweten." Dit is Gods manier om redding te geven aan die mensen van het Oude Testament, of de mensen die er waren na Jezus Christus, maar nooit een kans hebben gekregen om het evangelie te horen.

In Romeinen 2:14-15, staat geschreven, *"Wanneer toch heidenen, die de wet niet hebben, van nature doen wat de wet gebiedt, dan zijn dezen, ofschoon zonder wet, zichzelf tot wet; immers, zij tonen, dat het werk der wet in hun harten geschreven is, terwijl hun geweten medegetuigt en hun gedachten elkander onderling aanklagen of ook verontschuldigen."*

Wanneer mensen met een goed geweten het evangelie horen, zullen zij de Here heel gemakkelijk in hun harten aannemen. God stond deze zielen toe om tijdelijk in het "Boven graf" te verblijven, zodat zij de hemel kunnen binnengaan.

Wanneer het leven van een persoon eindigt, verlaat zijn geest zijn fysieke lichaam. De geesten verblijven tijdelijk in een plaats genaamd "Het graf." Het graf is een tijdelijke plaats waar hij kan leren om zich aan te passen aan de geestelijke wereld, voordat hij naar zijn eeuwige plaats gaat. Deze plaats is onderverdeeld in het "Boven graf," waar de geredde mensen wachten, en het "dodenrijk," waar de ongeredde zielen in kwelling wachten (Genesis 37:35; Job 7:9; Numeri 16:33; Lucas 16).

Maar in Handelingen 4:12 zegt het, *"En de behoudenis is in niemand anders, want er is ook onder de hemel geen andere naam aan de mensen gegeven, waardoor wij moeten behouden worden."* Dus, om ervoor te zorgen dat die zielen in het Boven graf, de kans kregen om het evangelie te horen, ging Jezus naar het Boven graf om het evangelie met hen te delen.

De Schriften bevestigen dit feit. In 1 Petrus 3:18-19 zegt het,

"Want ook Christus is eenmaal om de zonden gestorven als rechtvaardige voor onrechtvaardigen, opdat Hij u tot God zou brengen: Hij, die gedood is naar het vlees, maar levend gemaakt naar de geest, in welke Hij ook heengegaan is en gepredikt heeft aan de geesten in de gevangenis." De "goede" zielen in het Boven graf, die Jezus erkenden, ontvingen het evangelie en werden gered.

Dus voor de mensen die met een goed geweten leefden en geloofden in een Schepper, of zij nu in het Oude Testament leefden of nooit het evangelie of de wetten hadden gehoord, keek de God van gerechtigheid naar de diepte van hun harten en opende de deur van redding voor hen.

Waarom God Zijn volk beval om geen andere goden voor Zijn aangezicht te hebben

Soms zeggen ongelovigen, "Het Christendom vereist van de mensen dat ze alleen in God geloven. Betekent dit niet dat het te onbuigzaam en te exclusief is?"

Er zijn ook mensen die zichzelf gelovig noemen, maar afhankelijk zijn van handlezers, tovenaars, bedeltjes en amuletten.

God heeft ons specifiek verteld om geen compromis te sluiten op dat vlak. Hij zei, "Gij zult geen andere goden voor

Mijn aangezicht hebben." Dit betekent dat wij ons nooit mogen verenigen met valse goden of enig van Gods schepsels mogen zegenen. Noch zouden wij hen op geen enkele manier gelijkwaardig mogen stellen aan God.

Er is slechts één Schepper, die ons heeft geschapen, en alleen Hij kan ons zegenen, en alleen Hij kan ons leven geven. De valse goden en afgoden die mensen aanbidden zijn ten slotte van de vijand duivel. Ze staan in vijandschap met God.

De vijand duivel probeert mensen te verwarren en te laten afdwalen van God. Door dingen te aanbidden die vals zijn, eindigen zij in het aanbidden van Satan, en wandelen zij naar hun eigen ondergang.

Dat is de reden waarom mensen die beweren in God te geloven, maar nog steeds valse afgoden in hun harten aanbidden, nog steeds onderworpen zijn aan de vijand duivel. Om die reden ervaren zij voortdurend pijn, zorgen, lijden onder ziekten en verdrukkingen.

God is liefde, en Hij wil niet dat Zijn volk valse afgoden aanbidden en wandelen naar de eeuwige dood. Dat is de reden waarom Hij ons beveelt dat wij geen andere goden voor Zijn aangezicht mogen hebben. Door Hem alleen te aanbidden, kunnen wij eeuwig leven hebben, en kunnen wij ook overvloedige zegeningen ontvangen, terwijl wij voor Hem leven op deze aarde.

Wij moeten zegeningen ontvangen door getrouw alleen van God af te hangen

In 1 Kronieken 16:26, staat geschreven, *"Want alle goden der volken zijn afgoden, maar de Here heeft de hemel gemaakt."* Als God nooit had gezegd, "Gij zult geen andere goden voor Mijn aangezicht hebben," dan zouden besluiteloze mensen, of zelfs sommige gelovigen onwetend eindigen in het aanbidden van valse afgoden en naar de eeuwige dood wandelen.

We kunnen dit alleen al zien in de geschiedenis van de Israëlieten. De Israëlieten, onder alle andere volken, leerden over de ene en enige Schepper van het heelal, en zij ervoeren Zijn kracht talloze keren. Maar na een poosje, dwaalden zij af van God en begonnen andere goden en afgoden te aanbidden.

Ze dachten dat de afgoden van de heidenen er goed uitzagen, dus begonnen zij die afgoden naast God te aanbidden. Als gevolg, ervoeren ze vele soorten van beproevingen, verdrukkingen en plagen die de vijand duivel en Satan op hen brachten. Alleen wanneer zij de pijn en moeilijkheden niet langer konden uitstaan, bekeerden zij zich en keerden terug naar God.

De reden waarom God, die liefde is, hen steeds opnieuw en opnieuw vergaf en hen redde van hun moeilijkheden, is omdat Hij niet wilde dat zij de eeuwige dood zouden ervaren als gevolg van het aanbidden van de valse afgoden.

God toont ons voortdurend het bewijs dat Hij, de Schepper, de levende God is, zodat wij Hem, en Hem alleen kunnen aanbidden. Hij redde ons van zonden door Zijn enige Zoon, Jezus Christus, en beloofde ons eeuwig leven en gaf ons de hoop van eeuwig leven in de Hemel.

God helpt ons om te weten en te geloven, dat Hij de levend God is, door wonderen en tekenen te doen door Zijn volk, en door de zesenzestig boeken van de Bijbel en de geschiedenis van de mensheid.

Dus, moeten wij getrouw God, de Schepper van het heelal, die de heerschappij over alles erin heeft, aanbidden. Als Zijn kinderen, moeten wij overvloedige goede vruchten dragen door alleen afhankelijk te zijn van Hem.

Hoofdstuk 3

Het Tweede Gebod

"Gij zult u geen gesneden beeld maken noch het aanbidden"

Exodus 20:4-6

"Gij zult u geen gesneden beeld maken noch enige gestalte van wat boven in de hemel, noch van wat beneden op de aarde, noch van wat in de wateren onder de aarde is. Gij zult u voor die niet buigen, noch hen dienen; want Ik, de Here, uw God, ben een naijverig God, die de ongerechtigheid der vaderen bezoek aan de kinderen, aan het derde en aan het vierde geslacht van hen die Mij haten, en die barmhartigheid doe aan duizenden van hen die Mij liefhebben en mijn geboden onderhouden."

"De Here stierf aan het kruis voor mij. Hoe kan ik de Here dan verloochenen uit angst voor de dood? Ik zou liever tien keer sterven voor de Here, dan Hem te verraadden en voor honderd of zelfs duizend zinloze jaren te leven. Ik heb maar één verbintenis. Help mij alstublieft de kracht van de dood te overwinnen, zodat ik u niet beschaam, mijn Heer door mijn eigen leven te sparen."

Dit is de belijdenis van Reverend Ki-Chol Chu, die een martelaar werd omdat hij weigerde te buigen voor een Japans heiligdom. Zijn verhaal kan gelezen worden in het boek, *Meer dan overwinnaars: Het verhaal van het martelaarschap van Reverend Ki-Chol Chu.* Zonder ineen te krimpen in angst voor het zwaard of geweren, gaf Reverend Ki-Chol Chu zijn leven om Gods gebod te gehoorzamen door niet neer te buigen voor andere afgoden.

"Gij zult u geen gesneden beeld maken noch het aanbidden"

Als christenen, is het onze plicht om God, en alleen God lief te hebben en te aanbidden. Dat is de reden waarom God ons het eerste gebod gaf, "Gij zult geen andere goden voor Mijn aangezicht hebben." En om dan ten strengste het aanbidden van afgoden te verbieden, gaf Hij ons als tweede gebod, "Gij zult u geen gesneden beeld maken. Gij zult ze noch aanbidden of dienen."

Op het eerste gezicht, denkt u misschien dat het eerste en het tweede gebod hetzelfde zijn. Maar ze zijn los van elkaar verschillende geboden, omdat ze een andere geestelijke betekenis hebben. Het eerste gebod is een waarschuwing tegen veelgodendom, en het vertelt ons om alleen de ene ware God te aanbidden en lief te hebben.

Het tweede gebod, is een les tegen valse afgoden, en het legt ook de zegeningen uit die u ontvangt wanneer u God aanbidt en liefhebt. Laat ons eens van dichtbij bekijken wat het woord "afgod" betekent.

De natuurlijke definitie van "afgod"

Het woord "afgod" kan op twee manieren worden uitgelegd; natuurlijke afgod en geestelijke afgod. Ten eerste, in de natuurlijke zin, is "een afgod", "een beeld of materieel voorwerp geschapen om een god te vertegenwoordigen, die geen natuurlijke vorm heeft waar de aanbidding aan gericht kan worden."

Met andere woorden, een afgod kan alles zijn: een boom, een rots, een beeld van een persoon, amuletten, insecten, vogels, zeedieren, de zon, maan, sterren in de lucht, of iets dat gemaakt is uit staal, zilver, goud in de menselijke verbeelding, of iets anders dat bestaat hulde en aanbidding brengen.

Een afgod geschapen door mensen heeft geen leven, dus ze kunnen u geen antwoord geven noch u zegeningen geven. Wanneer mensen, die naar Gods beeld zijn geschapen, een ander beeld maken met hun eigen handen en het aanbidden, en vragen om hen te zegenen, hoe dwaas en grappig lijkt dat wel niet?

In Jesaja 46:6-7 zegt het, *"Zij schudden goud uit hun buidel en wegen zilver in een weegschaal; zij huren een goudsmid, opdat hij er een god van make. Zij knielen, ook buigen zij zich neder. Zij heffen hem op de schouder, zij torsen hem en zetten hem neer op zijn plaats; daar staat hij, hij wijkt niet van zijn plaats. Al schreeuwt iemand tot hem, hij antwoordt niet, uit de benauwdheid redt hij hem niet."*

Niet alleen verwijst dit Schriftgedeelte naar het maken van een afgod en het aanbidden; maar het verwijst ook naar het geloven in amuletten tegen slecht geluk of het uitdragen van offerrituelen en het neerbuigen van de doden. Zelfs het geloof van mensen in bijgelovige dingen en het uitoefenen van toverij vallen onder deze categorie. Mensen denken dat amuletten moeilijkheden verdrijven en goed geluk brengen, maar dat is niet waar. Levendige geestelijke mensen kunnen zien dat die duisternis, boze geesten eigenlijk worden aangetrokken door de plaatsen waar amuletten en afgoden zijn, en rampen en beproevingen brengen aan de mensen die in het bezit ervan zijn. Buiten de levende God, is er geen andere god die ware zegeningen kan brengen aan mensen. Andere goden zijn eigenlijk een bron van rampen en vloeken.

Waarom maken mensen dan afgoden en aanbidden ze die? Dat komt omdat mensen de neiging hebben om zichzelf met dingen te bevredigen, die zij fysiek kunnen zien, voelen en aanraken.

We kunnen deze menselijke ziel zien in de Israëlieten toen zij Egypte verlieten. Toen zij het tot God uitriepen in hun pijnen en moeite, gedurende hun 400 jaren van slavernij, stelde God Mozes aan als leider van hun Exodus uit Egypte, en Hij liet hen allerlei soorten van tekenen en wonderen zien, zodat zij geloof konden hebben in Hem.

Toen de Farao weigerde om hen te laten gaan, zond God de tien plagen over Egypte. En toen de Rode Zee de weg van de Israëlieten blokkeerde, scheidde God de zee in tweeën. Zelfs na het ervaren van deze wonderen, terwijl Mozes op de berg was, gedurende veertig dagen om de Tien Geboden te ontvangen, werd zijn volk ongeduldig en maakte een afgod en aanbaden het. Omdat Gods dienstknecht, Mozes uit hun zicht was verdwenen, wilden zij iets scheppen wat zij konden zien en aanbidden. Ze maakten een gouden kalf en noemden het god, die hen tot zover had geleid. Ze brachten het zelfs offers en ze dronken, aten en dansten ervoor. Deze gebeurtenis zorgde ervoor dat de Israëlieten de grote boosheid van God ervoeren.

Omdat God geest is, kunnen mensen Hem niet met het blote oog zien, of een natuurlijk beeld maken om Hem te vertegenwoordigen. Dat is de reden waarom wij nooit een afgod mogen maken en het "god" mogen noemen. En wij zouden het ook niet moeten aanbidden.

In Deuteronomium 4:23, zegt het, *"Neemt u ervoor in acht, dat gij het verbond van de Here, uw God, dat Hij met u gesloten heeft, niet vergeet en u een beeld maakt in de gedaante van iets, dat de Here, uw God, u verboden heeft."* Het aanbidden van een paar levenloze, krachteloze afgoden, in plaats van God de ware Schepper, brengt meer schade dan goeds voort voor mensen.

De voorbeelden van het aanbidden van afgoden

Sommige gelovigen kunnen in de val lopen van het aanbidden van afgoden, zonder dat ze het weten. Bijvoorbeeld, sommige mensen buigen bijvoorbeeld voor een foto van Jezus, of een beeld van de Maagd Maria, of sommige andere voorlopers van het geloof.

Een groot aantal mensen denken dat het geen afgoderij is, maar het is een vorm van afgoderij die God niet leuk vindt. Hier is een goed voorbeeld: vele mensen noemen de Maagd Maria "Heilige Moeder." Maar wanneer u de Bijbel bestudeert, kunt u zien dat dit duidelijk verkeerd is.

Jezus werd geïmpregneerd door de Heilige Geest, en niet vanuit het sperma van een man en de eicel van de vrouw. Daarom, kunnen we de Maagd Maria niet "moeder" noemen. Bijvoorbeeld, de hedendaagse technologie staat dokters toe om het sperma van de man en de eicel van de vrouw in een machine te doen welke een kunstmatige bevruchting voortbrengt. Dat betekent niet dat we die machine, de "moeder" van het kind noemen dat op die manier wordt verwekt.

Jezus, zijnde in de natuur van God, de Vader, werd verwekt door de Heilige Geest, en werd geboren door het lichaam van de Maagd Maria, zodat Hij in deze wereld kon komen in een natuurlijk lichaam. Om die reden noemde Jezus, de Maagd Maria "vrouw", en niet "moeder" (Johannes 2:4, 19:26). In de Bijbel, wanneer er naar Maria wordt verwezen als de "moeder" van de Here, dan komt dat alleen omdat het geschreven werd vanuit het oogpunt van de discipelen, die het hebben opgeschreven in de Bijbel.

Vlak voor Zijn dood, zei Jezus tegen Johannes, "Zie, uw moeder!" verwijzend naar Maria. Hier vroeg Jezus aan Johannes om voor Maria te zorgen, als zijn eigen moeder (Johannes 19:27). Jezus maakte dit verzoek, omdat Hij probeerde om Maria te troosten, omdat Hij de zorg in haar hart begreep, omdat ze Hem diende vanaf het moment dat Hij door de Heilige Geest werd bevrucht, tot het moment dat Hij de volledige wasdom door Gods kracht had bereikt, en onafhankelijk van haar werd.

Niettemin, is het niet goed om voor een beeld van de Maagd Maria te buigen.

Een paar jaar geleden, terwijl ik een bezoek bracht aan het Midden Oosten, nodigde een invloedrijk persoon mij uit en toonde mij een interessant tapijt, tijdens ons gesprek. Het was onbetaalbaar, handgemaakt en heeft jaren in beslag genomen om te maken. Er was een beeld erop van een zwarte Jezus. Vanuit dit voorbeeld, kunnen wij zien dat zelfs het beeld van Jezus tegenstrijdig is, afhankelijk van wie de artiest of kunstenaar is. Daarom, zouden wij afgoderij plegen, hetgeen onacceptabel is.

Wat er als "afgod" wordt beschouwd en wat niet?

Soms zijn er degenen die te voorzichtig zijn, en ze argumenteren dat het "kruis" dat in kerken gevonden worden, een type afgod is. Echter, het kruis is geen afgod. Het is een symbool van het evangelie, waar christenen in geloven. De reden waarom gelovigen naar het kruis kijken is om het heilige bloed van Jezus dat voor de zonde van de mensheid werd vergoten te herinneren en de genade van God die ons het evangelie gaf. Het kruis kan noch een voorwerp van aanbidding zijn, noch een afgod.

Dit is hetzelfde geval met het schilderij van Jezus die een

lam vasthoudt, of *Het laatste avondmaal,* of enige andere beeldhouwwerk waar de kunstenaar een eenvoudige gedachte mee wil uitdrukken.

Het schilderij van Jezus die het lam vasthoudt, laat zien dat Hij de goede herder is. De kunstenaar heeft dit schilderij niet gemaakt omdat het een voorwerp van aanbidding zou worden. Maar wanneer iemand het aanbidt, of ervoor neerbuigt, wordt het een afgod.

Er zijn gevallen waar mensen zeggen, "Tijdens het Oude Testament maakte Mozes een afgod." Ze verwijzen naar de gebeurtenis waar de Israëlieten tegen God klaagden, zodat ze uiteindelijk in de woestijn gebeten werden door giftige slangen. Toen velen stierven nadat ze gebeten waren door de giftige slangen, maakte Mozes een bronzen slang en plaatste die op een paal. Degenen die het Woord van God gehoorzaamden en naar de bronzen slang keken, leefden, en degenen die niet keken, stierven.

God vertelde niet aan Mozes dat hij een bronzen slang moest maken, zodat ze het zouden aanbidden. Hij wilde de mensen een illustratie geven van Jezus Christus, die op een dag zou komen om hen te redden van de vloek waar zij onder waren, overeenkomstig de geestelijke wetten.

Die mensen, die God gehoorzaamden en naar de bronzen slang keken, gingen niet verloren vanwege hun zonden. Evenzo, die zielen die geloven dat Jezus Christus stierf aan het kruis voor hun zonden en Hem aanvaarden als hun Redder en Heer, zullen niet verloren gaan vanwege hun zonden, maar zullen in plaats daarvan eeuwig leven hebben.

In 2 Koningen 18:4, zegt het dat terwijl de zestiende koning van Juda, Hizkia, alle afgoden in Israël vernietigde, *"Hij ook de koperen slang stuk sloeg, die Mozes gemaakt had, omdat tot op die tijd de Israëlieten daaraan plachten te offeren. En men noemde haar Nechustan."* Dit herinnerde de mensen opnieuw, dat ondanks dat God bevolen had om de bronzen slang te maken, het nooit bedoeld was als een voorwerp van afgoderij, omdat dat niet Gods intentie was.

De geestelijke betekenis van "afgod"

Bovendien om het woord "afgod" te begrijpen in de natuurlijke zin, zouden we het ook moeten begrijpen in de geestelijke zin. De geestelijke definitie van "afgoderij" is "alles wat iemand meer liefheeft dan God." Afgoderij wordt niet alleen beperkt tot het neerbuigen voor een beeld van Boeddha of het neerbuigen voor overleden voorvaders.

Wanneer we vanuit onze eigen zelfverlangens, onze ouders, man, vrouw of zelfs onze kinderen meer liefhebben dan God, dan is dat in geestelijk zin, dat wij deze geliefden veranderen in "afgoden." En wanneer we buitenmatige lof hebben over onszelf of degenen die we liefhebben, dan veranderen wij onszelf tot afgoden.

Dat betekent natuurlijk niet dat we alleen maar God moeten liefhebben en anderen niet lief moeten hebben. Bijvoorbeeld, God vertelt Zijn kinderen dat het hun plicht is hun ouders lief te hebben in de waarheid. Hij beveelt ook, "eer uw vader en uw moeder." Echter, wanneer het liefhebben van onze ouders ons brengt op het punt dat wij afdwalen van de waarheid, dan hebben we onze ouders meer lief dan God en hebben hen dan eigenlijk tot "afgoden" gemaakt.

Ondanks dat onze ouders geboorte gaven aan ons fysieke lichaam, omdat God het sperma en het eicelletje heeft geschapen, of het zaad des levens, is God de Vader van onze geesten. Veronderstel dat sommige niet-christelijke ouders afkeuren dat hun kind op zondag naar de kerk gaat. Wanneer hun kind, die een christen is, niet naar de kerk gaat om zijn ouders te behagen, dan heeft het kind zijn ouders meer lief dan God. Dit bedroeft niet alleen het hart van God, maar het betekent ook dat het kind niet echt van zijn ouders houdt.

Wanneer u werkelijk van iemand houdt, zult u willen dat die persoon gered wordt en eeuwig leven verkrijgt. Dat is ware liefde. Dus eerst en vooral, moet u de Dag des Heren heiligen, en dan zou u voor uw ouders moeten bidden en het evangelie zo spoedig mogelijk met hen moeten delen. Alleen dan kunt u zeggen dat u echt van hen houdt en hen eert.

En vice versa. Als ouder, wanneer u echt van uw kinderen houdt, dan zou u eerst God moeten liefhebben, en dan uw kinderen met de liefde van God. Ongeacht hoe kostbaar uw kinderen voor u zijn, u kunt ze niet beschermen van de vijand duivel en Satan met uw eigen beperkte menselijke kracht. U kunt ze ook niet beschermen van plotselinge ongevallen, noch hen genezen van een ziekte die onbekend is voor de moderne medici.

Maar wanneer ouders God aanbidden en hun kinderen overgeven in de handen van God en hen liefhebben met Gods liefde, zal God hun kinderen beschermen. Hij zal hen niet alleen geestelijke en fysieke kracht geven, maar Hij zal hen zegenen zodat zij in alle gebieden van hun leven voorspoedig worden.

Dit is hetzelfde geval met de liefde tussen mannen en vrouwen. Een echtpaar wat zich niet bewust is van Gods echte liefde zal alleen maar in staat zijn om die andere lief te hebben met vleselijke liefde. Ze zullen hun eigen voordeel zoeken op bepaalde momenten en daarbij argumenteren met elkaar. En met de tijd, verandert hun liefde voor elkaar misschien.

Echter, wanneer een koppel elkaar liefheeft met Gods liefde, zullen zij in staat zijn om elkaar ook met geestelijke liefde lief te hebben. In dit geval, zal het koppel niet boos worden of aanstoot geven aan elkaar, en ze zullen niet proberen om hun eigen verlangens te bevredigen. Zij zullen eerder een liefde delen dat onveranderlijk, waar en mooi is.

Iets of iemand meer liefhebben dan God

Alleen wanneer wij in Gods liefde zijn en God de Vader eerst liefhebben, kunnen wij anderen liefhebben met een ware liefde. Dat is de reden waarom God ons vertelt, "Hebt de Here, uw God lief boven alles," en "Plaats geen andere goden voor Mij." Maar na het horen van dit, als u zou zeggen, "Ik ben naar de kerk geweest en ze hebben mij verteld dat ik alleen God mag liefhebben en niet van mijn familie mag houden," dan begrijpt u de geestelijke betekenis van dit gebod geheel verkeerd.

Wanneer u als een gelovige de geboden van God overtreedt of u sluit een compromis met de wereld om materiele rijkdom, roem, kennis of macht te verdienen, en dwaalt daarbij af van het wandelen in de waarheid, dan maakt u voor uzelf een afgod, in de geestelijke zin.

Er zijn ook mensen die de Dag des Heren niet heiligen of falen in het geven van hun tienden omdat zij rijkdom meer liefhebben dan God, ongeacht het feit dat God de zegen belooft aan degenen die hun tienden geven.

Vaak hangen tieners foto's op van hun favoriete zangers, acteurs, atleten of bespelers van een instrument in hun kamer, of maken boekenleggers van hun foto's, of dragen zelfs hun foto's in hun zakken, om zo hun favoriete sterren dicht bij hun hart te dragen. Er zijn ook tijden, wanneer deze tieners deze mensen meer liefhebben dan God.

Natuurlijk kunt u liefde en respect hebben voor acteurs, actrices, atleten, enzovoort, die heel goed zijn in datgene wat zij doen. Maar wanneer u de dingen van de wereld meer liefhebt en koestert tot het punt dat u afstand neemt van God, zal God daar geen welgevallen in hebben. Bovendien, jonge kinderen die hun hele hart storten in een bepaald stuk speelgoed of videospelletjes, kunnen uiteindelijk ook "afgoden" maken van die dingen.

Gods jaloezie uit liefde

Na het geven van een sterk gebod tegen afgoderij, vertelt God ons over de zegeningen voor degenen die Hem gehoorzamen, en de vervloeking voor degenen die ongehoorzaam zijn aan Hem.

> *"Gij zult u voor die niet buigen, noch hen dienen; want Ik, de Here, uw God, ben een naijverig God, die de ongerechtigheid der vaderen bezoek aan de kinderen, aan het derde en aan het vierde geslacht van hen die Mij haten, en die barmhartigheid doe aan duizenden van hen die Mij liefhebben en mijn geboden onderhouden"* (Exodus 20:5-6).

Wanneer God zegt dat Hij een "naijverig God" is in vers 5, bedoeld Hij niet "naijverig" op dezelfde manier als mensen naijverig worden. Omdat in feite, naijver geen onderdeel van Gods karakter is. God gebruikt het woord "naijver" hier om het gemakkelijker te maken voor ons om met ons eigen menselijke emoties het te begrijpen. De naijver die mensen voelen is van het vlees, vuil, onrein en het kwetst de mensen die erbij betrokken zijn.

Bijvoorbeeld, wanneer de liefde van een man voor zijn vrouw verandert in een liefde voor een andere vrouw en de vrouw begint naijver te voelen tegenover die andere vrouw, dan kan de plotselinge verandering van de vrouw een angstaanjagend beeld aannemen. De vrouw zal vol van boosheid en haat worden. Ze zal met haar man argumenteren en zijn tekortkomingen vertellen aan al haar kennissen en hij wordt misschien wel een schande. Soms, gaat de vrouw naar de andere vrouw toe en vecht met haar, of dient een rechtszaak in tegen haar man. In dat geval, waar de vrouw als gevolg van haar naijver, wenst dat er iets ergs gebeurt met haar man, is haar naijver geen naijver uit liefde, maar een naijver uit haat.

Wanneer de vrouw echt van haar man houdt met geestelijke liefde, zou zij in plaats van naijver in het vlees te voelen, eerst naar haarzelf moeten kijken en vragen, "Sta ik recht voor God? Heb ik echt mijn man liefgehad en gediend?" En in plaats van zijn tekortkomingen te vertellen tegen iedereen om haar heen, zou zij God om wijsheid moeten vragen om te weten hoe zij hem opnieuw tot getrouwheid kan brengen.

Wat voor soort naijver voelt God dan? Wanneer wij God niet aanbidden en we leven niet in de waarheid, keert God

Zijn aangezicht van ons af, en dat is wanneer wij problemen, verdrukkingen en ziekte ervaren. Wanneer dit gebeurt, weten wij dat de ziekte komt door de zonde (Johannes 5:14), gelovigen zullen zich dan bekeren en proberen om opnieuw God te zoeken.

Als een voorganger, kom ik gemeenteleden tegen die dit van tijd tot tijd ervaren. Bijvoorbeeld, een gemeentelid kan een goede zakenman zijn, wiens zaak goed draait. Met het excuus dat hij het steeds drukker krijgt, verliest hij zijn focus en laat na om te bidden en Gods werk te doen. Hij komt zelfs op het punt dat hij de aanbiddingdiensten voor God op zondagen mist.

Als gevolg, keert God Zijn aangezicht af van deze zakenman en de zaken die eens bloeiden, zijn nu in een crisis. Alleen dan beseft hij zijn fout van het niet leven naar Gods geboden, en bekeert hij zich. God heeft liever dat zijn geliefde kinderen een moeilijke situatie ondergaan, gedurende een korte periode, en tot het verstaan van Zijn wil komen, gered worden en het goede pad bewandelen, dan voor eeuwig te vallen.

Als God deze jaloezie uit liefde niet zou voelen, en in plaats daarvan slechts onverschillig onze tekortkomingen zou observeren, dan zouden wij niet alleen falen in het beseffen van onze fouten, maar dan zouden onze harten ook ongevoelig worden, ervoor zorgend dat wij voortdurend zondigen en uiteindelijk zouden wij op de weg van eeuwige dood terechtkomen. Dus, de naijver die God voelt is er één uit ware liefde. Het is een uitdrukking van Zijn grote liefde en verlangen om ons te vernieuwen en te leiden naar het eeuwige leven.

De zegeningen en de vloeken die voorkomen uit het gehoorzamen of ongehoorzamen van het Tweede Gebod

God is onze Schepper en Vader, die Zijn enige Zoon offerde, zodat alle mensen gered kunnen worden. Hij is ook Soeverein over het leven van alle mensen en wil degenen zegenen die Hem aanbidden.

En het niet aanbidden en vereren van deze God, maar eerder valse afgoden, is om Hem te haten. En mensen die God haten ontvangen Zijn vergelding, zoals het geschreven staat dat de kinderen gestraft zullen worden voor de zonden van de vaders tot het derde en vierde geslacht (Exodus 20:5).

Wanneer wij om ons heen kijken, kunnen we gemakkelijk zien dat families die voor generaties afgoden hebben aanbeden, voortdurend de vergelding daarvan ontvangen. Mensen van deze families ervaren misschien kwaadaardige en of ongeneselijke ziektes, mismaaktheden, mentale verachtering, bezetting van demonen, zelfmoord, financiële moeilijkheden, en allerlei soorten van beproevingen. En wanneer deze calamiteiten verdergaan tot het vierde geslacht, dan is de familie volkomen kapot en onherstelbaar.

Maar waarom denkt u zei God dat Hij tot het "derde en vierde geslacht" zou straffen in plaats van "het vierde geslacht?" Dit laat Gods bewogenheid zien. Hij laat nog ruimte voor die nakomelingen die zich bekeren en God zoeken, ondanks dat hun voorouders valse afgoden aanbaden en vijandig tegenover God waren. Deze mensen geven God een reden om de straf tegen het huisgezin te stoppen.

Maar voor degenen wiens voorouders in grote vijandigheid tegenover God waren, en ernstige afgoden aanbidders waren, bouwt het kwade zich op, zullen zij moeilijkheden ondergaan, wanner zij proberen om de Here aan te nemen. Zelfs al zouden ze Hem aannemen, het lijkt alsof zij verbonden zijn aan hun voorouders door een geestelijke ketting, dus totdat zij geestelijke overwinning hebben, zullen zij vele moeilijkheden ervaren in hun geestelijke leven. De vijand duivel en Satan zullen er op elke manier tussen proberen te komen, om deze mensen te weerhouden van het hebben van geloof, om hen de eeuwige duisternis in te kunnen trekken.

Echter, wanneer de nakomelingen, terwijl zij Gods genade zoeken, zich bekeren met nederige harten van de zondevolle natuur in zich, zal God hen zonder enige twijfel beschermen. Dus, aan de andere kant, wanneer mensen van God houden en Zijn geboden onderhouden, zegent Hij hun families voor 1000 generaties, terwijl Hij hen toestaat om Zijn eeuwige genade te ontvangen. Wanneer we kijken hoe God zegt dat Hij de derde en de vierde generatie zal straffen, maar dat Hij tot het 1000ste geslacht gaat zegenen, dan kunnen we duidelijk zien dat God ons liefheeft.

Nu betekent dit niet automatisch dat u slechts overvloedige zegeningen ontvangt, omdat uw voorouders grote dienstknechten van God waren. Bijvoorbeeld, David werd een "man naar Gods hart" genoemd en God beloofde om zijn nakomelingen te zegenen (1 Koningen 6:12). Echter, kunnen wij leren dat de kinderen van David, die zich afkeerden van God, de beloofde zegeningen niet kregen.

Wanneer u kijkt naar de kronieken van de Israëlische koningen, kunnen we zien dat die koningen die God aanbaden en dienden, de belofte van David ontvingen, die God aan David beloofde. Onder hun leiderschap, was hun natie voorspoedig en florerend tot het punt dat de buurlanden hulde gaven aan hen. Echter de koningen, die zich van God afkeerden en tegen Hem zondigden, ervoeren vele moeilijkheden tijdens hun leven.

Alleen wanneer een persoon van God houdt, en probeert om te leven in de waarheid zonder zich te besmetten met afgoderij kan hij alle zegeningen ontvangen, die zijn voorouders voor hem hebben opgebouwd.

Dus alleen wanneer wij alle geestelijke en fysieke afgoden, die afschuwelijk zijn voor God, uit ons leven verwerpen en Hem op de eerste plaats zetten, kunnen wij ook de overvloedige zegeningen die God beloofde ontvangen, zodat al Zijn getrouwe dienstknechten en hun generaties daarna gezegend kunnen worden.

Hoofdstuk 4

Het Derde Gebod

"Gij zult de naam van de Here, uw God, niet ijdel gebruiken"

Exodus 20:7

"Gij zult de naam van de Here, uw God, niet ijdel gebruiken, want de Here zal niet onschuldig houden wie zijn naam ijdel gebruikt."

Het is gemakkelijk om te zien dat de Israëlieten werkelijk Gods woorden koesterden, door de manier waarop ze zijn opgeschreven in de Bijbel of zelfs door het te lezen.

Voordat de boekdrukkunst werd uitgevonden, moesten mensen de Bijbel met de hand schrijven. En elke keer wanneer het woord "Jehova" werd geschreven, waste de schrijver zijn lichaam verschillende keren, en veranderde zelfs de pen waarmee hij schreef, omdat de naam zo heilig was. En iedere keer wanneer de schrijver een fout maakte, moest hij die sectie eruit knippen en het opnieuw schrijven. Maar, wanneer "Jehova" verkeerd was geschreven, zou hij alles vanaf het begin volledig opnieuw onderzoeken.

Ook de keren, dat de Israëlieten uit de Bijbel lezen, lezen zij de naam "Jehova" niet hardop. In plaats daarvan, lezen zij het als "Adonia," wat betekent "mijn Heer," omdat ze Gods naam te heilig beschouwden om het hardop te lezen.

Omdat de naam "Jahweh" een naam is die God vertegenwoordigd, geloofden zij dat het ook een representatie van Gods glorie en soevereine karakter was. Voor hen, stond de naam voor Eén die de Almachtige Schepper is.

"Gij zult de naam van uw God niet ijdel gebruiken"

Sommige mensen kunnen zich niet eens herinneren dat er

zo'n gebod in de Tien Geboden staat. Zelfs onder de gelovigen, zijn er mensen die de naam van God niet hoog achten, en uiteindelijk Zijn naam verkeerd gebruiken.

Om "verkeerd te gebruiken" betekent om iets verkeerd of op ongepaste manier te gebruiken. En om Gods naam verkeerd te gebruiken is om Gods heilige naam op een onjuiste, onheilige, leugenachtige manier te gebruiken.

Bijvoorbeeld, wanneer iemand vanuit zijn eigen denken spreekt en zegt dat hij Gods woorden spreekt, of wanneer hij handelt zoals hij het zelf wilt, en beweert te handelen naar de wil van God, dan gebruikt hij Zijn naam verkeerd. De naam van God gebruiken om een leugenachtige eed af te leggen, te lachen met de naam van God, enzovoort, zijn allemaal voorbeelden van het ijdel gebruiken van Gods naam.

Een andere gewone manier waarbij mensen Gods naam ijdel gebruiken, is wanneer degenen die Zijn aangezicht niet zoeken, een wanhopige situatie tegenkomen en dan boos zeggen, "God is zo onverschillig!" of "Als God echt leefde, hoe heeft Hij dit kunnen toestaan?!"

Hoe kon God ons mogelijk zondeloos noemen, wanneer wij, de schepping, onze eigen Scheppers naam ijdel gebruiken, de Schepper die alle glorie en eer verdiend? Dit is de reden waarom we God moeten eren en moeten proberen om te leven in de waarheid door voortdurend onszelf te onderzoeken met discretie om er zeker van te zijn dat we geen enkele onbeschaamdheid of oneer laten zien voor God.

Waarom is het dan zonde om de naam van God ijdel te gebruiken?

Ten eerste, is het verkeerd gebruiken van Gods naam een teken dat we niet in Hem geloven.

Zelfs onder de filosofen, die beweren dat ze de betekenis van leven bestuderen en het bestaan van het heelal, zijn er die mensen die zeggen, "God is dood." En zelfs sommige gewone mensen zeggen roekeloos, "Er is geen God."

Eens zei een Russische astronaut, "Ik ben in de kosmische ruimte geweest, en God was nergens te zien." Maar als een astronaut, zou hij beter hebben moeten weten dan wie dan ook, dat het gebied dat hij verkende, slechts een klein deel is van het enorme heelal. Hoe dwaas is het voor de astronaut om te zeggen dat God, de Schepper van het gehele heelal, niet bestaat, omdat hij God niet met zijn ogen kon zien binnen het relatieve onbeduidend deel van de ruimte die hij bezocht!

Psalm 53:2 zegt, *"De dwaas zegt in zijn hart: Er is geen God. Zij bedrijven gruwelijk en afschuwelijk onrecht; niemand is er, die goed doet."* Een persoon die het heelal ziet met een nederig hart kan ontelbare bewijzen ontdekken die wijzen naar

God, de schepper (Romeinen 1:20).

God gaf iedereen een kans om in Hem te geloven. Voor Jezus Christus, in het Oude Testament, raakte God het hart van de goede mensen aan, zodat ze de levende God konden voelen. Na Jezus Christus, nu, in het Nieuwe Testament, blijft God voortdurend, op verschillende manieren kloppen aan de deur van de harten van mensen, zodat mensen Hem zouden kennen.

Om die reden openen goede mensen hun harten en nemen Jezus Christus aan en worden gered, ongeacht op welke manier zij het evangelie hebben gehoord. God staat degenen die Hem ernstig zoeken toe om Zijn tegenwoordigheid te ervaren door een sterke indruk op hun hart tijdens gebed, door visioenen of geestelijke dromen.

Ik hoorde een keer een getuigenis van één van onze gemeenteleden, en ik kon niets anders dan verbaasd zijn. Op een nacht, kwam de moeder van deze vrouw, die gestorven was aan maagkanker, in een droom tot haar, zeggende, "Als ik Dr. Jaerock Lee, de Senior Pastor van de Manmin Centrale kerk had ontmoet, zou ik genezen geweest zijn..." Deze vrouw was al bekend met de Manmin Centrale kerk, maar door deze ervaring, werd haar hele familie lid van de kerk, en werd haar enige zoon genezen van epilepsie.

Er zijn nog steeds mensen die voortdurend het bestaan van God ontkennen, ongeacht het feit dat Hij Zijn bestaan laat zien aan ons op verschillende manieren. Dat komt omdat hun harten goddeloos en dwaas zijn. Wanneer deze mensen hun harten blijven verharden tegen God, onvoorzichtig over Hem spreken zonder in Hem te geloven, hoe kan Hij hen dan zondeloos noemen?

God, die zelfs het aantal haren op ons hoofd kent, kijkt naar al onze acties met vurige ogen. Wanneer mensen dit feit zouden geloven, zou er op geen enkele manier meer misbruik worden gemaakt van de naam van God. Sommige mensen lijken misschien te geloven, maar omdat zij niet geloven vanuit de kern van hun harten, gebruiken zij de naam van God ijdel. En dat wordt een zonde voor God.

Ten tweede, is het ijdel gebruiken van de naam van God, veronachtzaming van God.

Wanneer wij God veronachtzamen, betekent dat dat wij geen respect voor Hem hebben. Wanneer wij durven om gebrek aan respect te hebben voor God, de Schepper, dan kunnen wij niet zeggen dat wij zonder zonde zijn.

Psalm 96:4 zegt, *"Want de Here is groot en zeer te prijzen, geducht is Hij boven alle goden."* In 1 Timotheüs 6:16, zegt het, *"Die [God] alleen onsterfelijkheid heeft en een ontoegankelijk licht bewoont, die geen der mensen gezien heeft of zien kan. Hem zij eer en eeuwige kracht! Amen."*

Exodus 33:20 zegt, *"Hij zeide: 'Gij zult mijn aangezicht niet kunnen zien, want geen mens zal Mij zien en leven!'"* God, de Schepper is zo groot en machtig, dat wij, de schepping, niet oneerbiedig naar Hem kunnen kijken, wanneer het ons behaagd.

Om die reden, verwezen de mensen met een goed geweten, uit vroegere tijden, ondanks dat zij God niet kenden naar de hemel met woorden van respect. Bijvoorbeeld, in Korea, gebruikten mensen de eerbiedige vorm, wanneer zij praatten over de hemel of het weer, om respect te tonen aan de Schepper. Ze hebben misschien de Here, God niet gekend, maar ze wisten dat een almachtige Schepper van het heelal hen de dingen vanuit de hemel, boven, stuurde die zij nodig hadden, zoals regen. Dus zij wilden respect aan God tonen met hun woorden.

De meeste mensen gebruiken woorden die respect tonen en gebruiken de namen van hun ouders of van andere mensen die ze respecteren vanuit hun hart, niet ijdel. Dus, wanneer wij over God, de Schepper van het heelal en de Gever van leven spreken, zouden wij dan niet naar Hem moeten verwijzen met de heiligste houding en hoogste respect?

Jammer genoeg, zijn er sommige mensen die zichzelf gelovigen noemen en toch geen respect voor God tonen, laat staan dat ze Zijn naam serieus nemen. Bijvoorbeeld, ze maken grapjes terwijl ze de naam van God gebruiken of citeren de woorden van de Bijbel op een onvoorzichtige manier. Omdat de Bijbel zegt, *"Het Woord was God,"* (Johannes 1:1) wanneer wij de woorden van de Bijbel oneerbiedigen, dan is het gelijk aan het oneerbiedigen van God.

Een andere manier van het oneerbiedigen van God, is door te liegen met Zijn naam. Een voorbeeld hiervan kan zijn wanneer een persoon praat over iets wat hij voor de geest roept en zegt, "Dit is de stem van God," of "Dit is iets geleid door de Heilige Geest." Wanneer wij de naam van een ouder persoon gebruiken op een ongepaste manier, zoals onbeleefd of beledigend, hoeveel voorzichtiger zouden wij dan moeten zijn bij het gebruiken van Gods naam op die manier?

De almachtige God kent het hart en de gedachten van alle levende schepsels zoals de palm van Zijn hand. En Hij weet of elke actie die zij doen, gemotiveerd is door goed of kwaad. Met ogen als vuur, kijkt God naar het leven van elk persoon, en Hij zal elk persoon oordelen overeenkomstig zijn daden. Als een persoon dit werkelijk gelooft, zal hij zeker de naam van God niet ijdel gebruiken of zondigen door onbeschaamd te zijn voor Hem.

Er is nog een ding wat we ons zouden moeten herinneren en dat is dat mensen die waarlijk God liefhebben, niet alleen voorzichtig zouden moeten zijn met het gebruiken van Gods naam, maar ook met alle dingen die met Hem te maken hebben. Mensen die waarlijk van God houden, behandelen ook het kerkgebouw en de grond van de kerk met meer voorzichtigheid, dan hun eigen eigendom. En ze zijn heel voorzichtig met het geld dat tot de kerk behoord, ongeacht hoe klein het bedrag is.

Wanneer u per ongeluk een glas, of een spiegel, of een raam van een kerk breekt, zou u doen alsof het niet is gebeurd, en het vergeten? Ongeacht hoe klein ze zijn, dingen die speciaal apart gezet zijn voor God en Zijn bediening, zouden nooit verwaarloost of verkeerd gebruikt mogen worden.

We moeten ook voorzichtig zijn dat we een persoon van God, of een gebeurtenis die geleid wordt door de Heilige Geest niet oordelen of kleineren, omdat ze direct verbonden zijn met God.

Ondanks dat Saul veel kwaad tegen David deed en een bedreiging voor hem was, spaarde David het leven van Saul tot het einde, om de enkele reden dat Saul eens een koning gezalfd door God was (1 Samuël 26:23). Evenzo, zal een persoon die God liefheeft en eerbiedigt, heel voorzichtig zijn wanneer hij omgaat met alles wat aan God verbonden is.

Ten derde, is het ijdel gebruiken van God naam om te liegen met Zijn naam.

Wanneer we naar het Oude Testament kijken, zijn er een paar valse profeten opgenomen in de geschiedenis van Israël. Deze valse profeten verwarden het volk door hen informatie te geven, waarvan zij beweerden dat het van God kwam, maar in feite was het niet zo.

In Deuteronomium 18:20, geeft God ons een ernstige

waarschuwing tegen mensen zoals dit. Hij zegt, *"Maar een profeet, die overmoedig genoeg is om in mijn naam een woord te spreken, dat Ik hem niet gebood te spreken, of die in de naam van andere goden spreekt – die profeet zal sterven."* Wanneer iemand liegt, terwijl hij de naam van God gebruikt, dan zal de straf voor zijn daad, de dood zijn.

Openbaringen 21:8 zegt, *"Maar de lafhartigen, de ongelovigen, de verfoeilijken, de moordenaars, de hoereerders, de tovenaars, de afgodendienaars en alle leugenaars – hun deel is in de poel, die brandt van vuur en zwavel: dit is de tweede dood."*

Als er een tweede dood is, dan betekent dat, dat er ook een eerste dood is. Dit verwijst naar de mensen die sterven in deze wereld zonder in God te geloven. Deze mensen zullen naar het dodenrijk gaan, waar zij de pijnlijke straf voor hun zonden zullen ontvangen. Aan de andere kant, zullen degenen die gered zijn, als koningen zijn en gedurende duizend jaren, tijdens het Duizendjarige Rijk, op deze aarde zijn, nadat de Here Jezus Christus in de lucht komt, met Zijn tweede komst.

Na het Duizendjarige Rijk, zal er het Oordeel van de Grote Witte Troon plaatsvinden, waar alle mensen geoordeeld zullen worden en of hun geestelijke beloningen zullen ontvangen of straffen, overeenkomstig hun daden. Op dat moment, zullen die zielen die niet gered waren, ook opstaan om het oordeel te ondergaan, en elk van hen, overeenkomstig het gewicht van hun zonden, zullen of in de poel des vuurs geworpen worden of in brandend zwavel. Dat is de tweede dood.

De Bijbel zegt dat alle leugenaars de tweede dood zullen ervaren. Hier, verwijst leugenaars naar iedereen die liegend de naam van God gebruikt. Dit wordt niet alleen beperkt tot de valse profeten; maar ook tot die mensen die een belofte doen in Gods naam en de belofte daarna breken, omdat dit hetzelfde is als liegen met Zijn naam en dus het misbruiken van Zijn naam is. In Leviticus 19:12, zegt God, *"'Gij zult bij mijn naam niet vals zweren en zo de naam van uw God ontheiligen: Ik ben de Here.'"*

Maar er zijn gelovigen die soms liegend Gods naam gebruiken. Zij zeggen misschien bijvoorbeeld, "Terwijl ik aan het bidden was, hoorde ik de stem van de Heilige Geest. Ik geloof dat het God was," ondanks dat God er niets mee te maken had. Of ze zien iets gebeuren en ondanks dat het niet zeker is, zeggen ze, "God heeft het toegestaan." Het is fijn als het echt Gods werk is, maar het wordt een probleem wanneer het niet het werk van de Heilige Geest is en ze het eigenlijk vanuit een gewoonte zeggen.

Natuurlijk als een kind van God, zouden wij altijd moeten luisteren naar de stem van de Heilige Geest en Zijn leiding moeten ontvangen. Maar het is belangrijk om te weet dat het niet betekent dat u altijd de stem van de Heilige Geest hoort, omdat u een gered kind van God bent. Overeenkomstig hoeveel een persoon in staat is om zichzelf te ledigen van zonden en gevuld te worden met de waarheid, zal hij in staat zijn om de stem van de Heilige Geest steeds duidelijker te horen. En wanneer een persoon dus niet in de waarheid leeft en compromissen met de wereld sluit, kan hij de stem van de Heilige Geest niet duidelijk horen.

Wanneer iemand vol leugen is en hij bestempeld luidruchtig en opzichtig de producten van zijn eigen vlees denkende dat het de werken van de Heilige Geest zijn, dan liegt hij niet alleen tegen andere mensen; hij liegt ook voor God. Zelfs als hij echt de stem van de Heilige Geest heeft gehoord, totdat hij Zijn stem 100 procent hoort, zou hij discreet moeten zijn. Daarom moeten wij afzien om iets roekeloos te noemen als een werk van de Heilige Geest en zouden wij ook moeten luisteren naar zulke beweringen met voorzichtigheid.

Dezelfde regel geldt voor dromen, visioenen en andere geestelijke ervaringen. Sommige dromen zijn door God gegeven, maar sommige dromen kunnen ook het gevolg zijn van een sterk verlangen of zorg van een persoon. En sommige dromen zijn zelfs het werk van Satan, dus iemand zou niet zomaar moeten opspringen, zeggende, "Deze droom was door God gegeven," want dat zo ongepast zijn om te doen voor God.

Er zijn tijden wanneer mensen God beschuldigen voor de moeilijkheden of problemen die ze ondergaan, die eigenlijk veroorzaakt werden door Satan als een gevolg van hun eigen zonden. En er zijn tijden wanneer mensen onvoorzichtig Gods naam plaatsen op dingen uit gewoonte. Wanneer dingen goed gaan, zeggen ze, "God zegent mij." Wanneer dingen dan moeilijk worden, zeggen ze, "Oh, God heeft de deur hiervoor gesloten." Sommigen geven misschien een belijdenis van geloof, maar het is belangrijk om te weten dat er een groot verschil is tussen een belijdenis van een waarachtig hart en een belijdenis van een spottend een opschepperig hart.

Spreuken 3:6 zegt, *"Ken Hem in al uw wegen, dan zal Hij uw paden recht maken."* Maar dat betekent niet dat we alles moeten bestempelen met Gods heilige naam. In plaats daarvan zal iemand die God erkent in al zijn wegen, proberen te leven in de waarheid te allen tijde en dus voorzichtiger zijn met het gebruiken van Gods naam. En wanneer hij het moet gebruiken, zal hij het doen met een getrouw en discreet hart.

Daarom, wanneer wij niet willen zondigen door de naam van God ijdel te gebruiken, zouden wij ernaar moeten streven om dag en nacht te mediteren over Zijn woord, waken in gebed, en gevuld zijn met de Heilige Geest. Alleen wanneer we dit doen, kunnen wij duidelijk de stem van de Heilige Geest horen en handelen in gerechtigheid, overeenkomstig Zijn leiding.

Vereer Hem altijd, wordt als nobel beschouwd

God is accuraat en nauwkeurig. En dus elk woord dat

Hij in de Bijbel gebruikt is recht en gepast. Wanneer u kijkt hoe Hij gelovigen aanspreekt, kunt u zien dat God slechts de juiste woorden gebruikt voor de situatie. Bijvoorbeeld, iemand "Broeder" noemen en iemand anders "Mijn geliefde" noemen, draagt een volkomen andere toon en betekenis uit. Soms spreekt God mensen aan als "Vaders," of "Jonge mannen," of "Kinderen" enzovoort, gebruikend de gepaste woorden die de juiste definitie uitdragen, afhankelijk van de mate van geloof van degene die wordt aangesproken (1 Korintiërs 1:10; 1 Johannes 2:12-13, 3:21-22).

Hetzelfde geldt voor de namen van de Heilige Drie-eenheid. We zien een verscheidenheid van namen voor de Drie-eenheid: "Here God, Jehova, God de Vader, de Messias, Here Jezus, Jezus Christus, Lam, Geest van de Here, Geest van God, Heilige Geest, Geest van Heiligheid, Heilige Geest, Geest (Genesis 2:4; 1 Kronieken 28:12; Psalm 104:30; Johannes 1:41; Romeinen 1:4).

Vooral in het Nieuwe Testament, voor de tijd dat Jezus Christus het kruis nam, werd Hij "Jezus, Leraar, Zoon des mensen," genoemd, maar nadat Hij stierf en opstond uit de dood, werd Hij "Jezus Christus, de Here Jezus Christus, Jezus Christus van Nazareth" genoemd (1 Timotheüs 6:14; Handelingen 3:6).

Voordat Hij gekruisigd werd, had Hij Zijn missie nog niet volbracht als de Redder, dus werd Hij "Jezus" genoemd, wat betekent, "Degenen die Zijn volk van hun zonden zal redden" (Mattheüs 1:21). Maar nadat Hij Zijn missie had volbracht, werd

Hij "Christus" genoemd, wat betekent "Redder."

God, Die volmaakt is, wil ook dat wij correct en volmaakt zijn met onze woorden en ook onze daden. Daarom, iedere keer wanneer wij Gods heilige naam spreken, moeten wij het uitdrukken in alle correctheid. Dat is de reden waarom God in het laatste stuk van 1 Samuël 2:30 zegt, *"Want wie Mij eren, zal Ik eren, maar wie Mij versmaden, zullen gering geacht worden."*

Dus wanneer u werkelijk God met groot respect benaderd vanuit de kern van ons hart, zullen wij nooit Zijn naam ijdel gebruiken en zullen wij Hem ten alle tijden vrezen. Dus ik bid dat u altijd alert zult zijn in gebed, en dat u waakzaam in uw hart zult zijn, zodat het leven dat u leidt glorie mag geven aan God.

Hoofdstuk 5

Het Vierde Gebod

"Gedenk de sabbatdag, dat gij die heiligt"

Exodus 20:8-11

"Gedenk de sabbatdag, dat gij die heiligt; zes dagen zult gij arbeiden en al uw werk doen; maar de zevende dag is de sabbat van de Here, uw God; dan zult gij geen werk doen, gij noch uw zoon, noch uw dochter, noch uw dienstknecht, noch uw dienstmaagd, noch uw vee, noch de vreemdeling die in uw steden woont. Want in zes dagen heeft de Here de hemel en de aarde gemaakt, de zee en al wat daarin is, en Hij rustte op de zevende dag; daarom zegende de Here de sabbatdag en heiligde die."

Wanneer u Christus hebt aangenomen en een kind van God werd, dan zijn de eerste dingen die u moet doen, God elke zondag aanbidden en uw gehele tiende geven. Het geven van uw gehele tiende en offers laat uw geloof in Gods autoriteit over alle fysieke en materiele dingen zien, terwijl het heiligen van de sabbatdag uw geloof in Gods autoriteit over alle geestelijke dingen laat zien (Zie Ezechiël 20:11-12).

Wanneer u met geloof handelt, Gods geestelijke en natuurlijke autoriteit erkend, zult u Gods bescherming van rampen, beproevingen en leed ontvangen. Het offeren van tienden zal besproken worden tot in detail in hoofdstuk 8, dus dit hoofdstuk zal zich nu vooral richten op het heiligen van de Sabbatdag.

Waarom zondag de sabbatdag werd

De dag van rust die toegewijd wordt aan God, wordt de "Sabbat" dag genoemd. Dit komt oorspronkelijk voort uit het feit dat God, de Schepper, het universum en de mens in zes dagen maakte en dan op de zevende dag rustte (Genesis 2:1-3). God zegende die dag en maakte die heilig, en wilde dat de mens ook op deze dag zou rusten.

In het Oude Testament, was de sabbatdag eigenlijk op zaterdag. En zelfs vandaag, houden de Joden zaterdag als de sabbatdag. Maar toen we het Nieuwe Testament ingingen, werd zondag de sabbatdag en begonnen we die dag de "Dag des Heren" te noemen. Johannes 1:17 zegt, *"Want de wet is door Mozes gegeven, de genade en de waarheid zijn door Jezus Christus gekomen."* En Mattheüs 12:8 zegt, *"Want de Zoon des mensen is heer over de sabbat."* En dat is precies wat er gebeurde.

Waarom dan, veranderde de sabbatdag van zaterdag naar zondag? Dat komt omdat de dag dat de gehele mensheid in staat is om ware rust te hebben door Jezus Christus, zondag is.

Vanwege de ongehoorzaamheid van de eerste mens, Adam, werd de gehele mensheid slaaf van de zonden en hadden geen echte sabbat. Mensen konden alleen eten door het zweet des aanschijns en moesten lijden en tranen van zorgen, ziekte en dood ervaren. Om die reden kwam Jezus naar deze wereld in de vorm van menselijk vlees en werd gekruisigd, om de zonde van de gehele mensheid te betalen. Hij stierf en stond op de derde dag op, overwon de dood en werd de eerste vrucht van de opstanding.

Dus Jezus loste het zondeprobleem op en gaf de echte sabbat aan de mensheid, op de vroege zondagmorgen, de eerste dag na de sabbatdag. Om die reden, werd in het Nieuwe Testament, zondag – de dag nadat Jezus Christus de weg van redding voor de gehele mensheid vrijmaakte – de sabbatdag.

Jezus Christus, de Heer van de Sabbat

De discipelen van de Here benoemden zondag als de sabbatdag, begrijpende de geestelijke betekenis van de sabbatdag. Handelingen 20:7 zegt, *"En toen wij op de eerste dag der week samengekomen waren om brood te breken,"* en 1 Korintiërs 16:2 zegt, *"elke eerste dag der week legge ieder uwer naar vermogen thuis iets weg, en hij spare dit op, opdat er niet eerst na mijn komst inzamelingen moeten gehouden worden."*

God wist dat deze verandering van de Sabbatdag zou gaan gebeuren, dus Hij zinspeelde hierop in het Oude Testament toen Hij tegen Mozes zei, *"Spreek tot de Israëlieten en zeg tot hen: 'Wanneer gij komt in het land dat Ik u geef, en de oogst daarvan binnenhaalt, dan zult gij de eerstelingsgarve van uw oogst naar de priester brengen, en hij zal de garve voor het aangezicht des Heren bewegen, opdat gij welgevallig zijt; daags na de sabbat zal de priester die bewegen. Gij zult op de dag waarop gij de garve beweegt, een gaaf eenjarig schaap de Here ten brandoffer bereiden'"* (Leviticus 23:10-12).

God vertelde de Israëlieten dat eens zij het land Kanaän binnen zijn gegaan, zij hun eerste graan oogst zouden offeren op de dag na de sabbatdag. De eerste graanoogst symboliseert, de Here die de eerste vrucht van de opstanding werd. En het eenjarig gaaf schaap, symboliseert ook Jezus Christus, het Lam van God.

Deze verzen laten ook zien dat op zondag, de dag na de sabbat, Jezus, die het vredeoffer werd en de eerste vrucht van de opstanding, opstanding en echte sabbat zou geven aan al degenen die in Hem geloven.

Om die reden, werd zondag, de dag dat Jezus Christus opstond, een dag van ware vreugde en dankzegging; een dag dat nieuw leven werd voortgebracht en de weg van het eeuwige leven werd geopend; en de dag dat de echte sabbat eindelijk plaats kon vinden.

"Herinner de sabbat, dat gij deze heiligt"

Waarom heeft God dan de sabbatdag heilig gemaakt en waarom vertelt Hij Zijn volk dat ze deze moeten heiligen?

Dat komt omdat, ondanks dat wij in een vleselijke wereld leven, God wil dat wij ook de dingen van de geestelijke wereld herinneren. Hij wilde er zeker van zijn dat onze hoop niet alleen is op de vergankelijke dingen van deze wereld. Hij wilde dat wij ons herinneren de Meester en Schepper van het heelal en hoop hebben in de echte en eeuwige sabbat van Zijn koninkrijk.

Exodus hoofdstuk 20 vers 9-10 zegt, *"Zes dagen zult gij arbeiden en al uw werk doen; maar de zevende dag is de sabbat van de Here, uw God; dan zult gij geen werk doen, gij noch uw zoon, noch uw dochter, noch uw dienstknecht, noch uw dienstmaagd, noch uw vee, noch de vreemdeling die in uw steden woont."* Dat betekent dat niemand op de sabbat zou moeten werken. Dit is inclusief uzelf, uw dienstknechten, uw dieren en enige bezoeker in uw huis.

Om die reden is het voor de Orthodoxe Joden niet toegestaan om eten te maken, zware voorwerpen te dragen, of verre afstanden te reizen op de sabbatdag. Dat komt omdat al deze activiteiten als arbeid worden beschouwd en ze zijn dus niet overeenkomstig de regels van de sabbat. Deze beperkingen zijn echter door mensen gemaakt en werden door de oudsten overgedragen aan de volgende generatie; daarom zijn het niet Gods regels.

Bijvoorbeeld, toen de Joden een reden zochten om een aanklacht tegen Jezus te brengen, zagen zij een man met een verschrompelde hand en zij vroegen Jezus, "Is het toegestaan om op de sabbat te genezen?" Ze waren er zelfs van overtuigd dat het genezen van een ziek persoon op de sabbat "arbeid" was en dus wetteloos was.

Hierop zei Jezus het volgende tegen hen, *"Maar Hij zeide tot hen: Wie zou er onder u zijn, die één schaap heeft en die, als dit op een sabbat in een put valt, het niet grijpen zal en eruit trekken? Hoeveel gaat niet een mens een schaap te boven? Derhalve is het geoorloofd op de sabbat wèl te doen"* (Mattheüs 12:11-12).

Het bewaren van de sabbat waar God over spreekt is niet allen maar het afzien van elk soort van werk. Wanneer ongelovigen rusten van hun werk en thuisblijven, of uitgaan om te genieten van recreatie activiteiten, is dit een lichamelijke rust van werk. Dit wordt niet als een "sabbat" beschouwd, omdat dit ons geen echt leven geeft. We moeten eerst de geestelijke betekenis van de "sabbat" begrijpen, om het daarna te heiligen en gezegend te kunnen worden, welke God eerst voor ons heeft bedoeld.

Wat God wil dat wij op deze dag doen, is niet een lichamelijk rust nemen, maar een geestelijke rust. Jesaja 58:13-14 legt uit dat op de sabbatdag, mensen niet zomaar datgene moeten doen wat ze willen doen, hun eigen weg gaan, ijdele woorden spreken, of genieten van het vermaak van de wereld. Wij zouden in plaats daarvan de dag heilig moeten bewaren.

Op de sabbatdag, zou iemand niet de gebeurtenissen van de wereld moeten omarmen, maar naar de kerk gaan, welke het lichaam van de Here is; het brood des levens moeten innemen, welke het Woord van God is; gemeenschap hebben met de Here door gebed en lofprijs; en een geestelijke rust nemen in de Here. Door gemeenschap zouden de gelovigen Gods genade met elkaar moeten delen en elkaars geloof helpen opbouwen. Wanneer we een geestelijke rust zoals deze nemen, laat God ons geloof groeien en maakt onze ziel voorspoedig.

Dus, wat zouden wij nu precies moeten doen om de sabbatdag te heiligen?

Ten eerste, moeten wij verlangen naar de zegeningen van de sabbatdag en onszelf voorbereiden om reine vaten te zijn.

De sabbatdag is een dag die God apart zet als heilig, en het is een vreugdevolle dag wanneer wij de zegeningen van God kunnen ontvangen. Het laatste deel van Exodus 20:11 zegt, *"daarom zegende de Here de sabbatdag en heiligde die,"* en Jesaja 58:13 zegt, *"maar de sabbat een verlustiging noemt, de heilige dag des Heren van gewicht, en die eert."*

Zelfs vandaag, omdat de Israëlieten de zaterdag als sabbatdag houden, zoals in het Oude Testament, beginnen zij de sabbat een dag van tevoren voor te bereiden. Ze hebben al het eten klaar, en wanneer zij van huis moeten om te werken, dan zullen zij zich haasten zodat ze niet later dan vrijdagavond terug thuis zijn.

Wij moeten onze harten ook voorbereiden voor de sabbat, voor zondag. Elke week, zouden wij wakker moeten worden in gebed voordat de zondag begint en proberen te leven in de waarheid ten alle tijden zodat wij geen hindernissen van zonde opbouwen tussen God en onszelf.

Dus het heiligen van de sabbatdag betekent niet dat we God slechts een dag geven. Het betekent dat we de gehele week leven overeenkomstig Gods woord. En dus, wanneer wij iets in de week hebben gedaan wat onaanvaardbaar is voor God, zouden wij ons ervan moeten bekeren en ons op de zondag moeten voorbereiden met een rein hart.

En wanneer we naar de zondag aanbidding komen, moeten wij voor God komen met een dankbaar hart. We moeten voor Hem komen met een vreugdevol en deelnemend hart, zoals een bruid op haar bruidegom wacht. Met dit soort van houding, kunnen wij ons misschien lichamelijk voorbereiden door een bad te nemen, en misschien zelfs naar de kapper te gaan om er zeker van te zijn dat we keurig en goed verzorgd verschijnen.

We willen misschien zelfs het huis schoonmaken. We zouden ook keurige en schone kleding op voorhand moeten uitzoeken, om aan te doen om naar de kerk te gaan. We zouden niet betrokken moeten zijn met wereldse zaken, laat op zaterdagavond, welke overgaat naar de zondag. We zouden moeten afzien van activiteiten die ons kunnen verhinderen om aanbidding aan God te offeren op zondag. We moeten ook proberen om onze harten te bewaren van irritatie, boosheid, en onenigheid, zodat we God kunnen aanbidden in geest en in waarheid.

Dus met een opgewonden en liefdevol hart, zouden wij deel moeten nemen aan de zondag, en onszelf moeten voorbereiden om een waardig vat te zijn om Gods genade te ontvangen. Dat zal ons in staat stellen om een geestelijke sabbat in de Here te ervaren.

Ten tweede, zouden we de volledige zondag aan God moeten geven.

Zelfs onder de gelovigen, zijn er mensen die slechts een aanbiddingsdienst op zondagochtend bijwonen, en dan de avond aanbiddingsdienst overslaan. Ze doen het om te rusten, recreatie activiteiten, of om voor andere zaken te zorgen. Wanneer wij werkelijk de Sabbat heiligen met een Godvrezend hart, moeten wij de volledige dag heilig bewaren. De reden waarom we de namiddagdienst overslaan om verschillende dingen te doen is omdat we onze harten volgen in wat ons vlees welgevallig is, en dan de wereldse dingen najagen.

Met dit soort houding, is het heel gemakkelijk om afgeleid te raken door andere gedachten tijdens de morgendienst. En ondanks dat we naar de kerk zijn gekomen, zijn we niet in staat om God echte aanbidding te geven. Tijdens de aanbidding, zijn onze gedachten gevuld met de volgende gedachten, "Ik ga naar huis en mij ontspannen zodra deze dienst voorbij is," of "O, wat zal het leuk zijn om mijn vrienden na de kerkdienst te zien," of "Ik moet mij haasten en de winkel openen zodra dit voorbij is." Allerlei soorten van gedachten gaan in en uit onze gedachten en we zijn niet in staat om ons te richten op de boodschap, of we worden slaperig of moe tijdens de aanbidding.

Natuurlijk voor nieuwe gelovigen, omdat hun geloof nog jong is, kunnen zij gemakkelijker worden afgeleid, of omdat zij lichamelijk moe zijn, worden ze slaperig. Omdat God ieders mate van geloof kent, en naar de kern van ieders hart kijkt, zal Hij hen genadig zijn. Maar wanneer iemand al een aanneembare mate van geloof behoort te hebben, en gewoonlijk wordt afgeleid en in slaap valt tijdens de aanbidding, dan is hij eenvoudigweg respectloos voor God.

De Sabbatdag heiligen betekent niet dat we alleen maar lichamelijk aanwezig moeten zijn in een kerk op zondag. Het betekent dat wij de kern van ons hart en onze gedachten richten op God. Alleen wanneer wij God op gepaste wijze de gehele zondag aanbidden in geest en in waarheid, zal Hij de welgevallige geur van ons hart in aanbidding met vreugde aannemen.

Om de Sabbatdag te heiligen, is het ook belangrijk hoe u de uren buiten de aanbidding op zondag spendeert. Wij moeten niet denken, "Omdat ik deel heb genomen aan de aanbidding, heb ik al het noodzakelijke gedaan." Na de aanbidding, moeten wij gemeenschap hebben met andere gelovigen, Gods koninkrijk dienen door de kerk schoon te maken, of het verkeer regelen op de parkeerplaats van de kerk of ander vrijwilligerswerk doen in de kerk.

En nadat de dag voorbij is, en wij naar huis gaan om te rusten, zouden wij moeten afzien van recreatieve activiteiten met het doel om onszelf te behagen. Wij zouden in plaats daarvan moeten mediteren over de boodschap die we die dag hebben gehoord, of tijd spenderen om met onze familie over Gods genade en waarheid te praten en te delen. Het zou een goed idee zijn om de televisie uit te laten, maar wanneer we toch kijken, zouden wij moeten proberen om bepaalde shows die de lust kunnen opwekken of die ons werelds vermaken te vermijden. Ga dan liever naar programma's die gezond, rein en beter nog, gebaseerd zijn op het geloof.

Wanneer wij God laten zien dat wij proberen om ons best te doen, om Hem te behagen, zelfs met de kleine dingen, zal God, die naar de kern van ieders hart kijkt, onze aanbidding met vreugde ontvangen, ons vullen met de volheid van de Heilige Geest, en ons zegenen, zodat we echte rust kunnen hebben.

Ten derde, moeten we geen wereldse werken doen.

Nehemia, de gouverneur van Israël onder koning Artaxerxes, koning van Perzië, begrijpende de wil van God, herbouwde hij niet alleen de muren van de stad Jeruzalem, maar zorgde er ook voor dat de mensen de Sabbatdag heiligden.

Om die reden verbood hij het werken of verkopen op de sabbatdag, en hij jaagde degenen die buiten de stadsmuren sliepen, om te wachten tot ze zaken konden doen na de sabbatdag, weg.

In Nehemia 13:17-18, waarschuwde Nehemia zijn volk, *"Toen onderhield ik de edelen van Juda hierover en zeide tot hen: Wat doet gij daar voor slechts, dat gij de sabbatdag ontheiligt?*

Hebben ook uw vaderen niet zo gedaan en heeft onze God niet daarom al deze rampspoed over ons en over deze stad gebracht?" Wat Nehemia hier zegt, is dat het doen van zaken op de sabbatdag, het ontheiligen van de sabbat is en dat het Gods toorn opwekt.

Iedereen die de Sabbat overtreedt, erkent Gods autoriteit niet en gelooft niet in Zijn belofte dat Hij degene zal zegenen die de Sabbatdag heiligen. Om die reden, kan God, die rechtvaardig is, hen niet beschermen, en zal rampspoed over hen komen.

God beveelt nog steeds dezelfde dingen voor ons allen vandaag. Hij vertelt ons om zes dagen hard te werken, en dan op de zevende dag rust te nemen. En wanneer wij de Sabbatdag herinneren door deze te heiligen, dan zal God ons niet alleen genoeg geven voor het voordeel dat wij hadden kunnen verkrijgen door op de zevende dag te werken, maar zal Hij ons tot het punt zegenen dat onze "schuren" overstromen.

Wanneer u kijkt naar Exodus hoofdstuk 16, dan zult u zien dat God elke dag manna en kwakkels voorzag voor de Israëlieten, op de zesde dag, gaf Hij een dubbele portie van de andere dagen, zodat zij zich konden voorbereiden op de Sabbatdag. Onder de Israëlieten, waren er sommigen bij, die uit zelfzuchtigheid, op de Sabbatdag naar buiten gingen om manna te verzamelen, maar terugkeerden met lege handen.

Dezelfde geestelijke wet geldt voor ons vandaag. Wanneer

een kind van God de Sabbatdag niet heiligt en beslist om te gaan werken op de Sabbatdag, kan hij misschien op korte termijn voordeel ervaren, maar op langere termijn, zal hij om die reden, eigenlijk een lange periode verlies ervaren.

De waarheid van dit feit is, zelfs al lijkt het dat u op een bepaalde tijd winst maakt, zonder Gods bescherming, bent u gebonden aan het ervaren van onvoorziene moeilijkheden. Bijvoorbeeld, u krijgt een ongeval of u wordt ziek, enz...., wat zal eindigen in een groter verlies op het einde dan enige winst die u hebt gemaakt.

In tegenstelling tot wanneer u de Sabbatdag wel herinnert en deze heiligt, zal God over u waken voor de rest van de week en u naar voorspoed leiden. De Heilige Geest zal u beschermen met Zijn zuilen van vuur, en u beschermen tegen ziekte. Hij zal u en uw zaak, uw werkplaats, en alle andere plaatsen waar u komt, zegenen.

Dat is de reden waarom God dit gebod, één van de Tien Geboden heeft gemaakt. Hij heeft zelfs een ernstige straf gemaakt, de steniging van de mensen die betrapt werden op werken tijdens de Sabbatdag, zodat Zijn volk het zou herinneren en de belangrijkheid van de Sabbatdag niet zouden vergeten en niet op de weg van eeuwige dood zouden komen (Numeri hoofdstuk 15).

Vanaf het moment dat ik Jezus Christus in mijn leven aannam, herinnerde ik de Sabbatdag en heiligde die. Voordat ik een kerk begon, had ik een boekenwinkel. Op zondagen, kwamen vele mensen naar de winkel om boeken te lenen en terug te brengen. En iedere keer dat dit gebeurde, zei ik, "Vandaag is het Dag des Heren, dus de winkel is gesloten," en ik deed geen zaken op die dag. Als gevolg, in plaats van verlies te ervaren, stortte God eigenlijk zijn zegeningen uit, tijdens de zes dagen dat we werkten, dat we er zelfs niet over moesten nadenken om ooit nog op zondagen open te gaan om te werken!

Wanneer het is toegestaan om te werken of zaken te doen op de Sabbatdag

Wanneer u in de Bijbel kijkt, dan zijn er gevallen waarbij werken of zaken doen, was toegestaan op de Sabbatdag. Dit zijn de gevallen waarbij het werk noodzakelijk is om te doen voor het werk van de Here, of het doen van goede werken, zoals het redden van mensenlevens.

Mattheüs 12:5-8 zegt, *"Of hebt gij niet gelezen in de wet, dat op de sabbat de priesters in de tempel de sabbat schenden zonder schuldig te zijn? Maar Ik zeg u: Meer dan de tempel is hier. Indien gij geweten hadt, wat het zeggen wil: Barmhartigheid wil Ik en geen offerande, dan zoudt gij geen onschuldigen hebben veroordeeld. Want de Zoon des mensen is heer over de sabbat."*

Wanneer de priesters dieren slachtten als brandoffer op de Sabbatdag, dan werd dat niet als arbeid beschouwd. Dus enig werk gedaan voor de Here, op de Dag des Heren wordt niet beschouwd als het overtreden van de Sabbat, omdat Hij de Here van de Sabbat is.

Bijvoorbeeld, wanneer de kerk het koor en de leraars met een maaltijd willen voorzien voor het harde werken in de kerk voor de hele dag, maar de kerk heeft geen restaurant of juiste faciliteit waarin zij dit kunnen doen, dan is het toegestaan om ergens anders het eten voor hen te kopen. Dat komt omdat de Here van de Sabbat, Jezus Christus is, en het kopen van eten in dit geval voor het werk van de Here is. Natuurlijk zou het beter zijn als het eten in de kerk kon worden voorbereid.

Wanneer boekenwinkels op zondagen in de kerk open zijn, wordt dat niet beschouwd als het ontheiligen van de Sabbat omdat de voorwerpen die verkocht worden door de gemeente boekenwinkels niet beschouwd worden als wereldse dingen, maar alleen maar leven geven aan de gelovigen in de Here. Ze verkopen Bijbels, Hymneboeken, opnames van preken, of andere gemeente gerelateerde dingen. Ook de automaten of kantines in de kerk zijn toegestaan omdat ze de gelovigen in de kerk helpen op de Sabbatdag. De winst van deze verkopen zijn om zendingswerken en goede doelen te ondersteunen, dus ze zijn anders dan de winst van de wereldse verkoop buiten de kerk.

God beschouwt ook sommige soorten van werk op de Sabbat niet als een overtreding van de Sabbat, zoals werken in het leger, als politie, in het ziekenhuis, enzovoort. Dit zijn beroepen waarbij het werk dat gedaan wordt is om levens te beschermen en te redden en om goede werken te doen. Echter, zelfs al valt u in een van deze categorieën, u zou toch moeten proberen om u te richten op God, zelfs al betekent het alleen maar in uw hart. Uw hart zou gewillig moeten zijn om uw werkgever te vragen om uw vrije dag te veranderen, indien mogelijk, zodat u de Sabbat kunt bewaren.

Wat nu met gelovigen die hun bruiloft op een zondag houden? Wanneer zij werkelijk beweren in God te geloven, en zij hebben hun bruiloft op de Dag des Heren, dan laat dat zien dat hun geloof erg jong is. Maar wanneer zij besluiten om hun huwelijk op zondag te doen en niemand van hun gemeente neemt deel aan het huwelijk, dan voelen zij zich misschien verworpen en gaan zij uitglijden in hun wandel van geloof. Dus in dit geval, mogen de gemeenteleden deelnemen aan de bruiloft na de Zondag aanbiddingdienst.

Het is om medeleven te laten zien aan de personen die trouwen en om gekwetste gevoelens te voorkomen en dat ze wegdwalen van hun gelovig leven. Het is echter niet toegestaan om na de ceremonie, te blijven voor de receptie, want dat is om de gasten te vermaken.

Los van deze gevallen, zijn er veel meer vragen over de

Sabbatdag. Maar, eens u het hart van God begint te begrijpen, kunt u gemakkelijk het antwoord op die vragen vinden. Wanneer u alle zonden van uw hart verwerpt, dan kunt u God aanbidden met heel uw hart. U kunt handelen vanuit oprechte liefde voor de andere zielen, in plaats van hen te veroordelen met mensengemaakte regels, zoals de Sadduceeën en de Farizeeërs. U kunt van een echte Sabbatdag genieten in de Here, zonder de Dag des Heren te ontheiligen. Dan zult u de wil van God kennen in elke situatie. U zult weten wat te doen, door de leiding van de Heilige Geest en u zult altijd in staat zijn om te genieten van de vrijheid door te leven in de waarheid.

God is liefde, dus wanneer Zijn kinderen, Zijn geboden gehoorzamen, en Hem zo behagen, dan zal Hij hen datgene geven waar zij om vragen (1 Johannes 3:21-22). Hij zal niet alleen Zijn genade over ons uitstorten, maar Hij zal ons ook zegenen, zodat wij voorspoedig en succesvol zijn in alle gebieden van ons leven. Op het einde van ons leven, zal Hij ons leiden naar de beste verblijfplaats van de Hemel.

Hij heeft de hemel voor ons voorbereid zodat, net zoals een bruid en een bruidegom liefde delen en samen gelukkig zijn, wij ook de liefde en het geluk voor eeuwig kunnen delen in de Hemel met onze Heer. Dit is de echte Sabbat, die God voor ons heeft voorbereid. Dus, ik bid dat uw geloof mag opgroeien en elke dag groter mag worden, terwijl u de Sabbatdag herinnert door deze volledig en heilig te bewaren.

Hoofdstuk 6

Het Vijfde Gebod

“Eer uw vader en uw moeder”

Exodus 20:12

"Eer uw vader en uw moeder, opdat uw dagen verlengd worden in het land dat de Here, uw God, u geven zal."

Tijdens een koude winter, toen de straten van Korea vol met vluchtelingen waren door de inval van de Koreaanse oorlog, was er een vrouw die op het punt stond om een kind te baren. Ze moest kilometers lopen voordat ze haar geplande bestemming zou bereiken, maar terwijl haar weeën sterker en regelmatiger kwamen, klom zij heel voorzichtig onder een verlaten brug. Terwijl zij op de koude, bevroren grond lag, verdroeg zij de barensweeën helemaal alleen en bracht een klein kindje ter wereld. Daarna bedekte zij de met bloed bedekte baby met haar eigen kleren en hield hem tegen haar boezem.

Een paar maanden later, hoorde een Amerikaanse soldaat, die voorbij de brug ging een baby huilen. Terwijl hij het geluid van het gehuil volgde, klom hij onder de brug en vond een dode, bevroren, naakte vrouw, bekrompen liggen over een huilende baby die bedekt was met lagen van kleding. Zoals de vrouw in dit verhaal, houden ouders van hun kinderen tot op het punt dat zij gemakkelijk en onzelfzuchtig hun eigen leven geven voor hen. Hoeveel groter dan denkt u dat Gods onvoorwaardelijke liefde voor ons is?

"Eer uw vader en uw moeder"

Om "uw vader en uw moeder te eren" betekent dat u de wil van uw ouders gehoorzaamt, en om hen te dienen met oprecht respect en hoffelijkheid. Onze ouders gaven geboorte aan ons en hebben ons opgevoed. Wanneer onze ouders niet zouden bestaan, dan zouden wij ook niet bestaan. Dus, zelfs wanneer God dit gebod niet tot één van de Tien Geboden had gemaakt, zouden mensen met goede harten hoe dan ook hun ouders eren.

God geeft ons dit gebod, "Eer uw vader en uw moeder," omdat zoals vermeldt in Efeziërs 6:1, *"Kinderen, weest uw ouders gehoorzaam [in de Here], want dat is recht,"* Hij wil dat wij onze ouders eren overeenkomstig Zijn woord. Wanneer u Gods woord niet gehoorzaamt om uw ouders te behagen, dan eert u niet echt uw ouders.

Bijvoorbeeld, wanneer u op het punt staat om naar de kerk te gaan op zondag en uw ouders zeggen, "Ga vandaag maar niet naar de kerk. Laat ons wat familietijd hebben," wat zou u dan moeten doen? Wanneer u uw ouders gehoorzaamt om hen te behagen, dan eert u hen niet echt. U overtreedt de Sabbatdag en gaat naar de eeuwige duisternis samen met uw ouders.

Zelfs wanneer u hen goed gehoorzaamt en dient naar het vlees, omdat dit, geestelijk, de weg naar de hel is, hoe kunt u dan zeggen dat u echt van uw ouders houdt? U moet eerst handelen overeenkomstig de wil van God, en dan proberen om het hart van uw ouders te bewegen, zodat zij allen naar de hemel gaan. Dit is hen echt eren.

In 2 Kronieken 15:16, zegt het, *"Zelfs heeft koning Asa zijn moeder Maäka als gebiedster afgezet, omdat zij een gruwelijk beeld van Asjera gemaakt had. Asa hieuw haar gruwelijk beeld stuk, verpulverde en verbrandde het in het dal Kidron."*

Wanneer de koningin van een land afgoden aanbidt, dan is zij vijandig tegen God en wandelt naar eeuwige verdoeming. Niet alleen dat, ze brengt ook haar onderdanen in gevaar door hen te laten deelnemen aan de afgoderij en zij vallen in dezelfde veroordeling als haar. Om die reden, ondanks dat Maäka zijn moeder was, probeerde Asa haar toch niet te gehoorzamen, maar in plaats daarvan zette hij haar van haar positie als koningin-moeder af, zodat zij zich kon bekeren van haar zonden voor God en het volk wakker zou worden en hetzelfde zou doen.

Maar de afzetting van koning Asa's moeder van haar positie als koningin-moeder, betekende niet dat hij stopte met het vervullen van zijn plicht als haar zoon. Zoveel hij van haar ziel hield, bleef hij haar respecteren en eren als zijn moeder.

Om te zeggen, "Ik hou echt van mijn ouders," moeten wij ongelovige ouders helpen om redding te ontvangen en naar de hemel te gaan. Wanneer onze ouders al gelovigen zijn, moeten wij hen proberen te dienen en te behagen zoveel als wij kunnen binnen Gods waarheid, terwijl we hier op aarde leven.

God is de Vader van onze geesten

"Eer uw vader en uw moeder" betekent uiteindelijk hetzelfde

als "Gehoorzaam Gods geboden en eer Hem." Wanneer iemand werkelijk God eert vanuit het diepst van zijn hart, dan zal hij ook zijn ouders eren. Evenzo, wanneer iemand oprecht zijn ouders dient, zal hij ook oprecht God dienen. Maar de waarheid van dit feit is, wanneer het aankomt op prioriteit, zou God eerst moeten komen.

Bijvoorbeeld, in vele culturen, wanneer de vader tegen zijn zoon zegt, "Ga naar het oosten," dan zal de zoon gehoorzamen en naar het oosten gaan. Maar wanneer op hetzelfde moment, zijn grootvader zegt, "Nee, ga niet naar het oosten. Ga naar het westen." Dan is het juister voor de zoon om tegen zijn vader te zeggen, "Grootvader heeft mij gezegd om naar het westen te gaan," en dan naar het westen te gaan.

Wanneer de vader zijn eigen vader echt eert, zal hij niet boos worden, omdat zijn zoon zijn grootvader gehoorzaamt in plaats van hem. Deze handeling van gehoorzamen van iemands oudste, overeenkomstig de generatie niveau, geldt ook voor onze relatie met God.

God is degene die onze vader, grootvader, en al onze voorvaders heeft geschapen en leven heeft gegeven. Een persoon wordt geschapen door de vereniging van een spermacel en een eicel. Maar Degene die het basis zaad des levens geeft is God.

Onze zichtbare lichamen zijn niets meer dan tijdelijke tenten die wij gebruiken voor de korte tijd dat we hier op aarde leven. Na God, is de echte meester van een ieder van ons, de geest binnenin ons. Ongeacht hoe handig en slim de mensheid wordt, niemand kan de geest van een persoon klonen. En zelfs wanneer de mens in staat is om menselijke cellen te klonen en een menselijke vorm te scheppen, tenzij God die vorm een geest geeft, kunnen we de vorm niet een mens noemen.

Daarom is de echte Vader van onze geest, God. Wetende dit feit, zouden wij ons best moeten doen om onze fysieke ouders te dienen en te eren, maar we zouden God meer lief moeten hebben, dienen en eren, omdat Hij de Schepper en gever van het leven zelf is.

Dus, een ouder die dit begrijpt, zal nooit denken, "Ik heb mijn kind gebaard, dus ik kan met hem doen wat ik wil." Zoals geschreven staat in Psalm 127:3, *"Zie, zonen zijn een erfdeel des Heren, een beloning is de vrucht van de schoot,"* zullen ouders met geloof hun kind beschouwen als een God-gegeven initiatief en een onbetaalbare ziel, die gekoesterd zou moeten worden overeenkomstig Gods wil en niet naar hun eigen wil.

Hoe God, de Vader van onze geesten te eren

Wat zouden we dan moeten doen om God, de Vader van onze geesten te eren?

Wanneer u echt uw ouders eert, dan zou u hen moeten gehoorzamen en proberen om vreugde en troost te brengen aan hun harten. Op dezelfde manier, als u werkelijk God eert, zou u

Hem moeten liefhebben en Zijn geboden moeten gehoorzamen.

Zoals het geschreven staat in 1 Johannes 5:3, *"Want dit is de liefde Gods, dat wij zijn geboden bewaren. En zijn geboden zijn niet zwaar,"* als u echt God liefhebt, dan zal het gehoorzamen van Zijn geboden een genot zijn.

De geboden van God zijn in de woorden van de zesenzestig boeken van de Bijbel opgeschreven. Namelijk, er zijn woorden zoals, "Hebt lief, vergeef, maak vrede, dien, bid," enzovoort, waar God ons zegt om iets te doen, en dan zijn er ook woorden zoals, "Haat niet, veroordeel niet, wees niet hoogmoedig," enzovoort, waar God ons zegt om sommige dingen van ons leven te verwerpen en woorden zoals "Heiligt de Sabbatdag," enzovoort, waar God ons zegt om iets te bewaren.

Alleen wanneer wij handelen overeenkomstig de geboden die opgeschreven zijn in de Bijbel en een welriekende geur worden voor God als een christen, kunnen wij zeggen dat wij God, de Vader echt eren.

Het is gemakkelijk om te zien dat mensen die God liefhebben en eren, ook hun natuurlijke ouders liefhebben en eren. Dat komt omdat Gods geboden ook bevelen om onze ouders te eren en onze broeders lief te hebben.

Heeft u toevallig God lief en doet u uw best om Hem in de kerk te dienen, maar veronachtzaamt u uw ouders op enige wijze thuis? Bent u ooit nederig en vriendelijk tegen uw broeders en zusters in de kerk, maar soms ruw en beledigend tegen uw familie thuis? Confronteert u uw ouders met woorden en daden die frustraties laten zien, zeggende dat hun woorden geen zin hebben?

Er kunnen natuurlijk tijden zijn wanneer u en uw ouders tegenstrijdige meningen hebben, mede door het verschil in generatie, opleiding of cultuur. Echter, zouden wij altijd moeten proberen om de meningen van onze ouders eerst te respecteren en te eren. Ondanks dat we het misschien bij het juiste eind hebben, zolang hun meningen de Bijbel niet tegenspreken, zouden wij in staat moeten zijn om onze eigen meningen over te geven voor die van hen.

Wij mogen nooit vergeten om onze ouders te eren, door te begrijpen dat wij tot nu toe in staat waren om te leven en op te groeien, vanwege hun liefde en offers voor ons. Sommige mensen voelen misschien dat hun ouders nooit iets voor hen hebben gedaan, en vinden het moeilijk om hen te eren. Echter, zelfs al zijn onze ouders misschien niet getrouw geweest in hun verantwoordelijkheden als ouders, moeten we ons toch herinneren dat het eren van de ouders die ons geboorte gaven, een basis menselijke beleefdheid is.

Wanneer u God liefhebt, eert u uw ouders

God liefhebben en uw ouders eren, gaan hand in hand. 1

Johannes 4:20 zegt, *"Indien iemand zegt: Ik heb God lief, doch zijn broeder haat, dan is hij een leugenaar; want wie zijn broeder, die hij gezien heeft, niet liefheeft, kan (ook) God, die hij niet gezien heeft, niet liefhebben."*

Wanneer iemand beweert God lief te hebben, maar zijn ouders niet liefheeft en niet in vrede leeft met zijn broeders en zusters, dan is die persoon hypocriet, en liegt hij. Daarom zien wij in Mattheüs 15 verzen 4-9 dat Jezus de Farizeeërs en Schriftgeleerden een uitbrander gaf. Overeenkomstig de tradities van de oudsten, zolang zij maar hun offers aan God gaven, moesten zij zich geen zorgen maken over het geven aan hun ouders.

Wanneer iemand zegt, dat hij niet aan zijn ouders kan geven, omdat hij aan God moet geven, dan is dat niet alleen het overtreden van Gods gebod om zijn ouders te eren, maar omdat hij God als een excuus gebruikt, is het duidelijk dat dit voortkomt uit een slecht hart; omdat hij datgene wat rechtmatig zijn ouders toebehoort, wegneemt om zichzelf te bevredigen. Iemand die werkelijk God liefheeft en eert vanuit het diepst van zijn hart, zal ook zijn ouders liefhebben en eren.

Bijvoorbeeld, wanneer iemand moeite heeft met het liefhebben van zijn ouders in het verleden, en Gods liefde meer en meer begint te begrijpen, dan zal hij ook de liefde van zijn ouders beter beginnen te begrijpen. Des te meer u in de waarheid komt, de zonde verwerpt en leeft overeenkomstig Gods Woord, des te meer uw hart gevuld wordt met echte liefde, en des te meer u als een gevolg daarvan, in staat zult zijn om uw ouders te dienen en lief te hebben.

De zegeningen die u ontvangt, wanneer u het Vijfde Gebod gehoorzaamt

God heeft een belofte gemaakt aan degenen die God liefhebben en hun ouders eren. Exodus 20:12 zegt, *"Eer uw vader en uw moeder, opdat uw dagen verlengd worden in het land dat de Here, uw God, u geven zal."*

Dit vers betekent niet dat u alleen maar een lang leven zult hebben wanneer u uw ouders eert. Het betekent dat naar de mate dat u God eert en uw ouders eert in Zijn waarheid, Hij u respectievelijk zal zegenen met voorspoed en bescherming op alle gebieden van uw leven. "Lang leven" betekent dat God u, uw familie, uw werkplaats of bedrijf zal beschermen van plotselinge rampen, zodat u een lang en voorspoedig leven zult hebben.

Ruth, een vrouw van het Oude Testament, ontving dit soort van zegen. Ruth was een heidense vrouw van het land van Moab, en kijkend naar haar natuurlijke omstandigheden, zou iemand zeggen dat ze een moeilijk leven heeft gehad. Ze trouwde met een Joodse man die Israël had verlaten, om de hongersnood te ontwijken. Maar niet lang nadat zij getrouwd waren, stierf hij en liet haar alleen achter zonder kinderen.

Haar schoonvader was al gestorven, en er was geen enkele man die het gezin kon onderhouden. De enige andere mensen in haar huishouden waren haar schoonmoeder, Naomi, en haar schoonzuster, Orpah. Toen haar schoonmoeder, Naomi, besloot om terug te keren naar Juda, besloot Ruth snel om haar te volgen.

Naomi probeerde haar jonge schoondochter ervan te overtuigen om terug te keren en een nieuw, gelukkiger leven te beginnen, maar Ruth was niet te overtuigen. Ruth wilde voor haar weduwe schoonmoeder zorgen tot het einde, dus ze volgde haar naar Juda, een volkomen vreemd land voor haar. Omdat ze haar schoonmoeder liefhad, wilde zij ook haar plichten als een schoondochter vervullen. Ze wilde haar best doen om voor Naomi te zorgen, zolang als ze kon. Door dit te doen, was zij gewillig om haar kans, om een nieuw gelukkiger leven voor haarzelf te vinden, op te geven.

Ruth kreeg ook geloof in de God van Israël door haar schoonmoeder. We kunnen haar sterke belijdenis zien in Ruth hoofdstuk 1, verzen 16 tot 17:

> *Maar Ruth zeide: Dring er bij mij niet op aan, dat ik u in de steek zou laten, door van u terug te keren; want waar gij zult heengaan, zal ik heengaan, en waar gij zult vernachten, zal ik vernachten: uw volk is mijn volk en uw God is mijn God; waar gij zult sterven, zal ik sterven, en daar zal ik begraven*

worden. Zo moge de Here mij doen, ja nog erger: voorwaar, de dood alleen zal scheiding maken tussen mij en u.

Toen God deze belijdenis hoorde, ondanks dat Ruth een heidense vrouw was, zegende Hij haar en maakte haar leven voorspoedig. Overeenkomstig de Joodse gebruiken, waar een vrouw opnieuw kon trouwen met een mannelijke bloedverwant van haar overleden man, was Ruth in staat om een nieuw, gelukkig leven te beginnen met een vriendelijke man en kon zij de rest van haar leven met haar schoonmoeder leven, die zij liefhad.

Daar bovenop, werd door haar bloedlijn, koning David geboren en kreeg Ruth ook het voorrecht om deel te hebben aan de geslachtsregister van de Redder, Jezus Christus. Zoals God beloofde, omdat Ruth haar ouder gehoorzaamde in Gods liefde, ontving zij overvloedige natuurlijke en geestelijke zegeningen.

Zoals Ruth, moeten wij eerst God liefhebben, en dan onze ouders eren in Gods liefde, en daarbij alle beloofde zegeningen ontvangen die zijn opgenomen in Gods woorden, "zodat u een lang leven zult leven in het land."

Hoofdstuk 7

Het Zesde Gebod

"Gij zult niet doodslaan"

Exodus 20:13

"Gij zult niet doodslaan."

Als een voorganger, communiceer ik met veel gemeenteleden. Naast de normale aanbiddingdiensten, ontmoet ik hen wanneer zij om gebed komen, hun getuigenis delen of geestelijke bemoediging zoeken. Om hen te helpen om sterker te groeien in hun geloof, stel ik hen vaak deze vraag: "Heeft u God lief?"

"Ja! Ik heb God lief," zullen de meeste mensen zelfverzekerd antwoorden. Maar dat komt vaak omdat ze niet de echte betekenis begrijpen van God liefhebben. Dus, dan deel ik met hen het volgende vers, *"Want dit is de liefde Gods, dat wij zijn geboden bewaren"* (1 Johannes 5:3) en leg dan de geestelijke betekenis uit van God liefhebben. Wanneer ik dan dezelfde vraag opnieuw stel, antwoorden de meeste mensen de tweede keer met minder zelfverzekerdheid.

Het is heel belangrijk om de geestelijke betekenis van Gods woorden te begrijpen. En dit is hetzelfde met de Tien Geboden. Wat is dan de geestelijke betekenis van het Zesde Gebod?

"Gij zult niet doodslaan"

Wanneer wij naar Genesis hoofdstuk 4 kijken, zijn we getuige van de eerste menselijke moord. Dit is de gebeurtenis waarbij Adam's zoon, Kaïn, zijn jongere broer, Abel vermoord. Waarom gebeuren er zo'n dingen?

Abel bracht een offer voor God op een manier die God

welgevallig was. Kaïn bracht een offer aan God, op de manier waarvan hij dacht dat die goed was, en de gemakkelijkste manier voor hem. Toen God het offer van Kaïn niet aannam, in plaats van na te gaan wat hij verkeerd had gedaan, werd Kaïn jaloers op zijn broer, vol boosheid en wraak.

God kende Kaïn zijn hart, en op verschillende momenten waarschuwde Hij Kaïn. God zei tegen hem, *"wiens (zonde) begeerte naar u uitgaat, doch over wie gij moet heersen"* (Genesis 4:7). Maar zoals het geschreven staat in Genesis 4:8, *"Toen zij nu in het veld waren, stond Kaïn tegen zijn broeder Abel op en doodde hem,"* was Kaïn niet in staat om zijn boosheid te beheersen in zijn hart en uiteindelijk pleegde hij een onomkeerbare zonde.

Van de woorden "Toen zij nu in het veld waren," kunnen we veronderstellen dat Kaïn wachtte op een ogenblik waarbij hij alleen was met zijn broeder. Dat betekent dat Kaïn al reeds in zijn hart had besloten om zijn broer te doden, en dus keek naar de juiste gelegenheid. De moord die Kaïn pleegde was geen ongeluk; het was het gevolg van onbeheerste boosheid welke in een ogenblik veranderde in de daad. Dat maakt de moord van Kaïn zo'n grote zonde.

Volgende de moord van Kaïn, zijn er talloze andere moorden gebeurt in de geschiedenis van de mensheid. En vandaag, omdat de wereld vol van zonde is, gebeuren er elke dag talloze moorden.

De gemiddelde leeftijd van misdadigers gaat naar beneden, en het type misdaden worden steeds slechter en slechter. Wat hedendaags nog erger is, zijn de moorden waarbij ouders hun kinderen vermoorden en kinderen hun ouders vermoorden, en hetgeen nog gruwelijker is.

Natuurlijke moord: het leven van een andere persoon nemen

Wettelijk, zijn er twee type moorden: er is eerste graad moord, waarbij een persoon een ander persoon om een bepaalde reden opzettelijk dood; en er is een tweede graad moord, waar een persoon onopzettelijk een ander persoon dood. Moord uit kwaadwilligheid, of materieel gewin of toevallige moord door roekeloos te rijden zijn allerlei soorten van moord; echter het gewicht van de zonde is bij elk verschillend, afhankelijk van de situatie. Sommige moorden worden niet als zonde beschouwd, zoals bloedvergieten tijdens een oorlog of doden vanuit wettige zelfverdediging.

De Bijbel zegt dat wanneer een persoon een dief dood, die 's nachts in zijn huis inbreekt, het niet als moord wordt beschouwd, maar wanneer een persoon een dief dood die overdag in zijn huis inbreekt, dan wordt het als buitensporige zelfverdediging gezien, en moet hij worden gestraft. Dat komt omdat een paar duizend jaren geleden, ten tijde dat God ons Zijn wetten gaf, mensen gemakkelijk een dief konden najagen en pakken, met de hulp van een ander persoon.

God beschouwde buitensporige zelfverdediging, die het bloedvergieten van een ander veroorzaakte in dit geval als zonde, omdat God het verwaarlozen van de menselijke rechten en de mishandeling van de waardigheid van het leven verbiedt. Dit laat ons Gods gerechtigheid en natuurlijke liefde zien (Exodus 22:2-3).

Zelfmoord en abortus

Naast de hierboven vermeldde types van moord, is er ook nog "zelfmoord." "Zelfmoord" wordt duidelijk als "moord" voor God beschouwd. God heeft soevereiniteit over het leven van alle mensen, en zelfmoord is de handeling van het ontkennen van deze soevereiniteit. Dat is de reden waarom zelfmoord een grote zonde is.

Maar mensen plegen deze zonde, omdat ze niet in het leven na de dood geloven, of zij geloven niet in God. Dus bovenop de zonde van ongeloof in God, plegen zij ook de zonde van moord. Dus kunt u zich voorstellen wat voor oordeel hen staat te wachten!

Heden, met de opwelling van internetgebruikers, zijn er regelmatig gevallen waarbij mensen verleid worden door websites om zelfmoord te plegen. In Korea, is de nummer één oorzaak van dood onder de mensen in hun veertiger jaren, kanker, en de tweede oorzaak is zelfmoord. Dit wordt een ernstig sociaal probleem. Mensen moeten dit feit begrijpen dat zij niet de autoriteit hebben om hun eigen leven te eindigen, en dat omdat hun leven hier op aarde eindigt, het niet betekent dat het probleem dat zij hier verlaten wordt opgelost.

Wat dan met abortus? De waarheid van deze zaak is dat het leven van een kind in de baarmoeder, onder Gods soevereine kracht is, dus valt abortus ook onder de categorie van moord.

Vandaag, in een tijd waarbij zonde zoveel mensenlevens beheerst, aborteren ouders hun kinderen zonder het als een zonde te beschouwen. Een ander persoon vermoorden is op zichzelf al een ernstige zonde, maar wanneer ouders het leven van hun eigen kinderen nemen, hoeveel groter is de zonde?

Lichamelijke moord is een duidelijke zonde, dus in elk land zijn er strenge wetten tegen. Het is ook een ernstige zonde voor God, dus de vijand duivel, kan allerlei soorten van beproevingen en verdrukkingen brengen aan degenen die de moord plegen. Niet alleen dat, maar er wacht hen ook een hevige straf in het leven na de dood, dus niemand zou ooit de zonde van moord moeten plegen.

Geestelijke moord die de ziel en de geest beschadigd

God beschouwt lichamelijke moord als een vreselijke zonde, maar Hij beschouwt ook geestelijke moord – welke net zo erg is – ook als een ernstige zonde. Wat is dan precies geestelijke moord?

Ten eerste, is geestelijke moord wanneer een persoon iets doet buiten Gods waarheid, of door woorden of daden, en uiteindelijk een ander persoon in geloof laat struikelen.

Om een andere gelovige te laten struikelen, is om zijn geest te beschadigen door hem van Gods waarheid af te brengen.

Laat ons zeggen dat een pas bekeerd persoon naar één van de gemeenteleiders gaat voor pastoraat en hij vraagt, “Is het goed als ik een zondag aanbiddingsdienst mis om voor enkele belangrijke zaken te zorgen?” Wanneer de leider hem adviseert, “Wel, als het voor zo’n belangrijke zaak is, denk ik dat het wel goed is als u één keer een zondagaanbiddingdienst mist,” dan laat deze leider de pas bekeerde struikelen.

Of laat ons zeggen dat iemand is aangesteld over de financiën van de kerk en vraagt, “Kan ik wat geld lenen van de gemeente voor persoonlijk gebruik? Ik kan het allemaal binnen een paar dagen terugbetalen.” Wanneer de gemeenteleider antwoordt:

"Zolang u het maar terugbetaalt, maakt het niets uit," dan onderwijst de leider hem tegenovergestelde dingen van Gods wil, daarom is het schadelijk voor de geest van zijn medegelovige.

Of wanneer een leider van een kleine groep zegt, "we leven in zo'n drukke wereld vandaag de dag. Hoe kunnen we toch zo vaak bij elkaar komen?" en hij onderwijst zijn medegelovigen om de gemeentesamenkomsten niet zo serieus te nemen, dan leert hij tegen Gods waarheid, en laat hij zijn medegelovigen struikelen (Hebreeën 10:25). Zoals het geschreven staat, *"Indien een blinde een blinde leidt, zullen zij beiden in een put vallen"* (Mattheüs 15:14).

Dus andere gelovigen leugenachtige informatie geven en hen daardoor laten afdwalen van Gods waarheid is een type van geestelijke moord. Gelovigen valse informatie geven kan er voor zorgen dat zij verdrukkingen ervaren zonder enige reden. Daarom zouden gemeenteleiders in de positie van onderwijs geven aan andere gelovigen, vurig moeten bidden voor God en de juiste informatie moeten geven, of hun vraag zouden moeten doorzetten naar een andere leider, die duidelijk het juiste antwoord van God krijgt en zo de groei van de gelovigen in de juiste richting stuurt.

Bovendien, kan het zeggen van dingen die iemand niet zou moeten zeggen, of het zeggen van slechte woorden onder de categorie van geestelijke moord vallen. Dingen zeggen die anderen veroordelen of oordelen, een synagoge van Satan scheppen door roddel, of onenigheid veroorzaken tussen mensen, zijn allemaal voorbeelden van het uitlokken van haat of slechte daden bij een ander persoon.

Wat nog erger is, is wanneer mensen geruchten verspreiden over een dienstknecht van God, zoals voorgangers, of over een kerk. Deze geruchten laten vele mensen struikelen, en daarom zullen degenen die zo'n geruchten verspreiden ook zeker het oordeel van God krijgen.

In sommige gevallen, zien we mensen hun eigen geesten beschadigen vanuit het kwade van hun eigen harten. Voorbeelden van het type mensen zijn de Joden die Jezus probeerden te doden – ondanks dat Hij in de waarheid handelde – of Judas Iskariot die Jezus verraadde door Hem aan de Joden te verkopen voor dertig zilverstukken.

Wanneer iemand struikelt nadat hij iemands zwakheid heeft gezien, zou die persoon moeten weten dat hijzelf ook het kwade in zich heeft. Er zijn tijden waarbij mensen naar een nieuwe christen kijken, die zijn vroegere wegen nog niet heeft verworpen en zeggen, "En hij noemt zichzelf een christen? Ik ga omwille van hem niet naar de kerk." Dat is een geval waarbij ze ervoor zorgen dat ze zelf struikelen. Niemand heeft dit veroorzaakt; ze beschadigen eerder zichzelf vanuit hun eigen slechtheid en veroordelend hart.

In sommige gevallen, vallen mensen misschien weg van God

omdat ze teleurgesteld zijn over iemand waarvan zij dachten dat het een sterke christen was, bewerende dat hij handelde vanuit de leugen. Als zij zich alleen maar op God en de Here Jezus Christus zouden richten, zouden zij niet struikelen, noch zouden zij de weg van redding verlaten.

Bijvoorbeeld, er zijn tijden waarbij mensen medeondertekenen voor een persoon die zij echt vertrouwen en respecteren, maar om de een of andere reden gaat er iets verkeerd, en de medeondertekenaar ondergaat moeilijkheden als gevolg. In dit geval, worden vele mensen zeer ontmoedigd en kwaad. Wanneer er zoiets als dit gebeurt, moeten zij begrijpen dat de situatie alleen maar bewijst dat hun geloof, geen echt geloof was, en zouden zij zich moeten bekeren van hun ongehoorzaamheid. Zij waren degenen die ongehoorzaam ware naan God, toen Hij specifiek vertelde dat wij ons niet borg moeten stellen voor schulden (Spreuken 22:26).

En wanneer u echt een goed hart en waar geloof hebt, wanneer u de zwakheid van iemand anders ziet, zou u voor hem moeten bidden met een bewogen hart en op hem moeten wachten voor verandering.

Bovendien, zijn sommige mensen een struikelblok voor zichzelf nadat ze zich beledigd voelen terwijl ze luisteren naar Gods boodschap. Bijvoorbeeld, wanneer de voorganger een boodschap geeft over een specifieke zonde, ondanks dat de voorganger niet eens eraan heeft gedacht, laat staan hun naam heeft genoemd, denken ze, "De voorganger praat over mij! Hoe kan hij dit nou doen voor al deze mensen?" En ze verlaten de kerk.

Of wanneer de voorganger zegt dat de tienden God toebehoren en dat God degenen zegent die tienden geven, klagen sommige mensen dat de kerk zoveel nadruk legt op geld. En wanneer de voorganger dan getuigt over Gods kracht en Zijn wonderen, zeggen sommige mensen, "Dat betekent helemaal niets voor mij," en ze klagen dat de boodschappen niet goed overeenkomt met hun kennis en opleiding. Dit zijn allemaal voorbeelden waarbij mensen aanstoot nemen en hun eigen struikelblokken in hun harten scheppen.

Jezus zei in Mattheüs 11:6, *"En zalig is wie aan Mij geen aanstoot neemt,"* en in Johannes 11:10 zegt Hij, *"Maar wanneer iemand bij nacht loopt, stoot hij zich, omdat het licht niet in hem is."* Wanneer iemand een goed hart heeft en verlangt om de waarheid te ontvangen, dan zal hij niet struikelen of van God afdwalen, omdat Zijn Woord, welke het licht is, met hem zal zijn. Wanneer iemand struikelt over en struikelblok of aanstoot neemt aan iets, dan is dat alleen maar een bewijs dat er nog duisternis in hem is.

Natuurlijk, wanneer iemand gemakkelijk aanstoot neemt, dan is dat een teken dat hij of zwak in zijn geloof is of nog duisternis in zijn hart heeft. Maar een persoon die aanstoot geeft aan anderen, is verantwoordelijk voor zijn daden. Want een persoon die een boodschap brengt aan iemand anders, ondanks dat hetgeen wat hij zegt de absolute waarheid is, zou toch moeten proberen om dit met wijsheid over te brengen, op een manier dat het overeenkomt met het niveau van geloof van de ontvanger.

Wanneer u een pasgeboren Christen, die net de Heilige Geest heeft ontvangen, vertelt, "Als u gered wil worden, stop dan met drinken en roken," of "U moet uw winkel nooit op zondag openen," of "Wanneer u niet voortdurend bidt, komt er een muur van zonde tussen u en God, dus zorg ervoor dat u naar de kerk komt en elke dag bidt," dan is dat gelijk aan het geven van vlees aan een baby, die eigenlijk nog melk moet krijgen. Zelfs wanneer de pasgeboren Christen gehoorzaamt onder druk, zal hij waarschijnlijk denken, "Oh man, een christen zijn is toch wel moeilijk," en ze voelen zich belast, en vroeg of laat, geven ze hun wandel van geloof op.

Mattheüs 18:7 zegt, *"Wee de wereld om de verleidingen tot zonde. Want er moeten verleidingen komen, maar wee die mens, door wie de verleiding komt!"* Zelfs wanneer u iets zegt ten behoeve van die andere persoon, als datgene wat u zegt ervoor zorgt dat de andere persoon aanstoot neemt en afdwaalt van God, dan wordt dat als geestelijke moord beschouwd, en zult u onvermijdelijk beproevingen tegenkomen om de prijs van deze zonde te betalen.

Dus, wanneer u God liefhebt, en van anderen houdt, dan zou u zelfbeheersing moeten uitoefenen bij elk woord dat u zegt, zodat datgene wat u zegt genade en zegeningen brengt aan iedereen die ernaar luistert. Zelfs al onderwijst u iemand in de waarheid, zou u moeten proberen om gevoelig te zijn en te zien wanneer iemand zich voelt aangeklaagd en zwaarmoedig voelt in zijn hart, of het hoop en kracht brengt om de onderwijzing in zijn leven toe te passen, zodat iedereen die u bedient kan wandelen op de glorieuze weg van een leven in Jezus Christus.

De geestelijke moord van het haten van een andere broeder

Het tweede type van geestelijke moord is het haten van een andere broeder of zuster in Christus.

Er staat geschreven in 1 Johannes 3:15, *"Een ieder, die zijn broeder haat, is een mensenmoorder en gij weet, dat geen mensenmoorder eeuwig leven blijvend in zich heeft."*

Dat komt eigenlijk omdat haat de wortel van moord is. Eerst haat iemand een ander persoon in zijn hart. Maar wanneer de haat groeit, kan het ervoor zorgen dat hij een slechte daad doet tegen die andere persoon, en uiteindelijk kan deze haat veroorzaken dat hij een moord pleegt. Ook in het geval van Kaïn, begon het allemaal toen Kaïn zijn broer Abel haatte.

Om die reden zegt Mattheüs 5:21-22, *"Gij hebt gehoord, dat tot de ouden gezegd is: 'Gij zult niet doodslaan; en: Wie doodslag pleegt, zal vervallen aan het gerecht.' Maar Ik zeg u:*

'Een ieder, die in toorn leeft tegen zijn broeder, zal vervallen aan het gerecht. Wie tot zijn broeder zegt: Leeghoofd, zal vervallen aan de Hoge Raad, en wie zegt: Dwaas, zal vervallen aan het hellevuur.'"

Wanneer een persoon iemand anders haat in zijn hart, kan zijn boosheid veroorzaken dat hij met hem gaat vechten. En wanneer er iets goeds gebeurd bij de persoon die hij haat, wordt hij jaloers en veroordelend, oordeelt de andere persoon en verspreidt woorden over zijn zwakheden. Hij misleidt hem misschien en veroorzaakt schade aan hem, of wordt vijandig tegen hem. Een ander persoon haten en uit boosheid naar iemand handelen, zijn voorbeelden van geestelijke moord.

In het Oude Testament, omdat God, de Heilige Geest nog niet had gestuurd, was het niet gemakkelijk voor de mensen om hun hart te besnijden en heilig te worden. Maar nu, in het Nieuwe Testament, omdat wij de Heilige Geest in onze harten hebben ontvangen, geeft de Heilige Geest ons kracht om af te kunnen rekenen met onze diepste zondige natuur.

Zijnde één van de Drie-eenheid, God, is de Heilige Geest, als een detail-georiënteerde moeder, die ons onderwijst over het hart van God de Vader. De Heilige Geest onderwijst ons over zonde, gerechtigheid en het oordeel, en helpt ons om te leven naar de waarheid. Om die reden kunnen wij zelfs de denkbeeldige zonden verwerpen.

Om die reden vertelt God niet alleen aan zijn kinderen dat zij nooit een fysieke moord moeten plegen, maar zegt Hij hen ook om zelfs de wortel van haat uit hun harten te verwerpen. Alleen wanneer wij alle zonden uit onze harten kunnen verwerpen en het vullen met liefde, kunnen wij werkelijk in Gods liefde verblijven en genieten van het bewijs van Zijn liefde (1 Johannes 4:11-12).

Wanneer wij iemand liefhebben, dan zien wij zijn drogredenen niet. En wanneer die persoon een zwakheid heeft, zullen wij met hem medeleven, en met een hoopvol hart, hem bemoedigen en hem de kracht geven om te veranderen. Toen wij nog zondaren waren, gaf God ons dit soort van liefde, zodat wij redding konden ontvangen en naar de hemel kunnen gaan.

Dus we zouden Zijn gebod "Gij zult niet doodslaan," niet alleen moeten gehoorzamen, maar we zouden ook liefde moeten hebben voor alle mensen – zelfs voor onze vijanden – met de liefde van Christus en Gods zegeningen ten alle tijden ontvangen. En uiteindelijk, zullen wij binnengaan in de mooiste plaats van de Hemel en voor eeuwig verblijven in Gods liefde.

Hoofdstuk 8

Het Zevende Gebod

"Gij zult niet echtbreken"

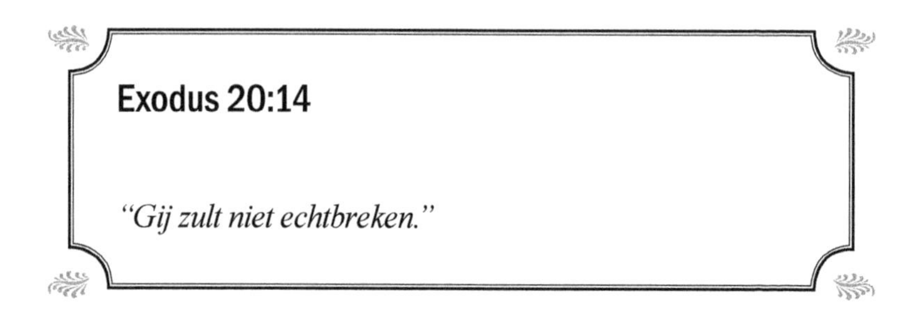
Exodus 20:14
"Gij zult niet echtbreken."

De berg Vesuvius, gelegen in Zuid-Italië, was een actieve vulkaan die soms alleen maar stoomde, maar de mensen dachten dat het een mooi landschap van Pompeii maakte.

Op 24 augustus, 79 A.D., rond de middag, terwijl de aardbevingen sterker en sterker werden, barstte er een paddenstoelwolk uit de Berg Vesuvius en sloot de lucht over Pompeji buiten. Met een grote explosie, barstte de bergtop open en begon het gesmolten rotsen en as te regenen op de aarde.

Binnen enkele minuten, stierven talloze mensen, terwijl overlevenden naar de oceaan renden om hun leven te redden. Maar toen gebeurde het meest verschrikkelijke ding, dat mogelijk kon gebeuren. De wind begon harder te blazen en blies tegen de oceaan.

Opnieuw, verzwolg de hitte en de giftige gassen de inwoners van Pompeji, die net de vulkaanuitbarsting hadden overleefd door naar de oceaan te vluchten, en ze verstikten allemaal.

Pompeji was een feestvierende stad vol van lust en afgoden. Zijn laatste dagen herinneren ons aan de steden Sodom en Gomorra, van de Bijbel, die Gods oordeel van vuur ervoeren. De dood van deze steden is een duidelijke waarschuwing van hoeveel God lustvolle harten en afgoderij verafschuwt. Dit staat duidelijk opgeschreven in de Tien Geboden.

"Gij zult niet echtbreken"

Overspel is de seksuele interactie tussen een man en een vrouw die niet elkaars echtgenoten zijn. Een lange tijd geleden, werd overspel als een buitensporige immorele handeling beschouwd. Maar hoe zit het nu vandaag de dag? Vanwege de ontwikkeling van computers en het Internet, hebben volwassenen en zelfs kinderen toegang tot lustvol materiaal onder hun vingertoppen.

De zedenleer over seks in de hedendaagse maatschappij is zo vervallen dat zelfs sensuele of obscene beelden getoond worden op televisie, films, en zelfs kindertekenfilms. En het vrijmoedig blootstellen van het lichaam verspreidt zich snel in de modetrends. En als gevolg daarvan, wordt het verkeerde begrip over seks snel verspreidt.

Om de waarheid over deze zaak te begrijpen, laat ons eens de betekenis van het zevende gebod, "Gij zult niet echtbreken" in drie delen bestuderen.

Overspel is een daad

Het gevoel van moraal bij de mensen vandaag is erger dan ooit tevoren. Zo erg zelfs dat overspel in films, en televisiedrama's heel vaak naar voren wordt gebracht als een mooi type van liefde. In deze dagen, geven ongetrouwde mannen en vrouwen gemakkelijk hun lichaam aan elkaar en hebben zelfs seks voor het huwelijk, denkende, "Het is goed, want we gaan toch trouwen in de toekomst." Zelfs getrouwde mannen en vrouwen belijden openlijk dat ze relaties hebben met andere mensen die niet hun echtgenoot zijn. En om de zaken nog erger te maken, wordt de leeftijd wanneer mensen seksuele gemeenschappen ervaren steeds jonger en jonger.

Wanneer u naar de wetten kijkt die bestonden toen de Tien Geboden aan Mozes werden gegeven, werden mensen die overspel pleegden, ernstig gestraft. Ondanks dat God liefde is, is overspel een onaanvaardbare, ernstige zonde, en om die reden heeft Hij een duidelijke lijn getrokken en het verboden.

Leviticus 20:10 zegt, *"En een man, die echtbreuk pleegt met iemands vrouw, echtbreuk pleegt met de vrouw van zijn naaste, zal zeker ter dood gebracht worden; zowel de overspeler als de overspeelster."* En in het Nieuwe Testament, wordt de daad van overspel als een zonde beschouwt die het lichaam en de ziel vernietigt en ontkent de redding van de echtbreker.

> *"Of weet gij niet, dat onrechtvaardigen het Koninkrijk Gods niet beërven zullen? Dwaalt niet! Hoereerders, afgodendienaars, overspelers, schandjongens, knapenschenders, dieven, geldgierigen, dronkaards, lasteraars of oplichters, zullen het Koninkrijk Gods niet beërven"* (1 Korintiërs 6:9-10).

Wanneer een nieuw gelovige deze zonde pleegt, uit onwetendheid van de waarheid, kan hij Gods genade ontvangen en een gelegenheid krijgen om zich van zijn zonden te bekeren. Maar wanneer iemand die een geestelijke volwassen gelovige behoort te zijn, met een bewustzijn van Gods waarheid en voortdurend dit soort zonden doet, zal het moeilijk voor hem worden om de geest van bekering te ontvangen.

Leviticus 20:13-16 spreekt over de zonde van gemeenschap met een dier en de zonde van homoseksualiteit; dit is echter een gruwel voor God. Sommige mensen antwoorden, zeggende, "Tijden zijn veranderd," maar ongeacht hoe de tijden veranderen, en ongeacht hoeveel de wereld veranderd, Gods woord, welke de waarheid is, verandert nooit. Daarom wanneer iemand een kind van God is, zou hij zichzelf niet moeten verontreinigen door de trend van deze wereld te volgen.

Overspel in het denken

Wanneer God over overspel spreekt, dan praat Hij niet alleen over de daad van overspel. De uiterlijke handeling van overspel is duidelijk een geval van overspel, maar plezier hebben in het verbeelden of kijken naar immorele handelingen valt ook onder de categorie van overspel.

Begeerlijke gedachten veroorzaken dat iemand een begeerlijk hart krijgt; en in dat geval pleegt hij overspel in het hart. Zelfs al heeft iemand geen lichamelijke acties gedaan, als een man bijvoorbeeld naar een vrouw kijkt en overspel in zijn hart pleegt, beschouwt God, die naar de kern van het hart van de mensen kijkt, dat hetzelfde als lichamelijk overspel plegen.

Er staat in Mattheüs 5:27-28, *"Gij hebt gehoord, dat er gezegd is: Gij zult niet echtbreken. Maar Ik zeg u: Een ieder, die een vrouw aanziet om haar te begeren, heeft in zijn hart reeds echtbreuk met haar gepleegd."* Nadat een zondevolle gedachte in het denken van een persoon komt, gaat het naar het hart en dan komt het naar buiten in zijn daden. Alleen nadat haat in het hart van een persoon komt, begint hij of zij dingen te doen die schade veroorzaakt aan anderen. En alleen nadat boosheid wordt opgestapeld in het hart van een persoon, wordt hij of zij boos en vloekt.

Evenzo, wanneer een persoon begeerlijke verlangens in zijn hart heeft, kan het gemakkelijk vorderen in lichamelijk overspel. Ook al is het niet duidelijk, wanneer iemand overspel in zijn hart pleegt, heeft hij reeds overspel gepleegd, omdat de wortel van die zonde dezelfde is.

Op een dag, tijdens mijn eerste jaar van seminarie school, was ik echt geschrokken toen ik luisterde naar een groep voorgangers die aan het praten waren. Tot op dat moment had ik altijd liefde en respect voor voorgangers en behandelde ik hen zoals ik bij de Here ook zou doen. Maar op het einde van een heftige discussie, kwamen zij tot een conclusie dat "zoals overwogen was, het plegen van overspel in het hart geen zonde is."

Toen God ons het gebod, "Gij zult niet echtbreken," gaf, gaf Hij het dan niet aan ons omdat Hij wist dat wij erin zouden verblijven? Omdat Jezus zei, "Ik zeg u: Een ieder, die een vrouw aanziet om haar te begeren, heeft in zijn hart reeds echtbreuk met haar gepleegd," moeten wij eenvoudigweg deze begeerlijke verlangens verwerpen. Er kan niets meer over worden gezegd. Ja, het is misschien moeilijk om dit vanuit eigen menselijke kracht te doen, maar met gebed en vasten, kunnen we kracht van God ontvangen om gemakkelijker de begeerten uit onze harten te verwerpen.

Jezus droeg de doornenkroon en liet Zijn bloed vloeien om de zonden die wij in ons denken en gedachten doen, weg te wassen. God zond ons de Heilige Geest, zodat wij de zondevolle natuur uit ons hart kunnen verwerpen. Wat kunnen we dan specifiek doen om de begeerte uit ons hart te verwerpen?

De fasen van het verwerpen van begeerte uit ons hart

Laat ons bijvoorbeeld zeggen dat er een mooie vrouw of knappe man voorbij loopt, en u denkt, "Wow, wat is ze mooi," of "Wat is hij knap," "Ik zou wel met haar uit willen gaan," of "Ik zou wel een date met hem willen." Niet veel mensen zouden deze gedachten als begeerte of overspel beschouwen. Echter, wanneer iemand deze woorden zegt en hij meent het, dan is het een teken van begeerte. Om deze hints van begeerte te verwerpen, moeten wij door het proces gaan waarbij wij ijverig vechten tegen deze zonde.

Normaal gesproken, des te meer u probeert om ergens niet aan te denken, des te meer het in uw gedachten opkomt. Na het zien van een beeld van een man en een vrouw die een immorele handeling spelen in een film, verlaat het beeld uw hoofd niet meer. In plaats daarvan blijft het zich in uw gedachten opnieuw en opnieuw afspelen. Afhankelijk van hoe sterk het beeld indruk in uw hart heeft gemaakt, des te langer het in uw herinnering blijft.

Wat kunnen wij dan doen om de begeerlijke gedachten uit onze gedachten te verwerpen? Ten eerste, moeten wij er alles aan doen om spelletjes, boekjes, of dergelijke te vermijden, die zulke beelden laten zien, waardoor wij verleid worden om begeerlijke gedachten te hebben. En wanneer er een begeerlijke gedachte in ons denken komt, zouden we de richting van onze gedachten moeten afschrikken. Laat ons zeggen dat er een begeerlijke gedachte in u opkomt. We zouden de gedachten onmiddellijk moeten proberen te stoppen, in plaats dan het te laten toenemen.

Wanneer u die gedachten dan verandert naar goede, waarachtige en God welgevallige gedachten, en u bidt voortdurend, vragend om Zijn hulp, dan zal Hij u zeker de kracht geven om dit soort van verleidingen te weerstaan. Zolang u gewillig bent en bidt met passie, zal Gods genade en kracht op u komen. En met de hulp van de Heilige Geest, zult u in staat zijn om deze zondevolle gedachten te overwinnen.

Maar het belangrijkste hier is om niet te stoppen nadat we het een of twee keer hebben geprobeerd. U moet voortdurend bidden met geloof tot het bittere eind. Het kan een maand duren, een jaar of zelfs twee of drie jaar. Maar, hoelang het ook duurt, u zou altijd op God moeten vertrouwen en voortdurend moeten bidden. Dan zal God u de kracht geven om het op een dag te verslaan en om de begeerte voor eens en voor altijd uit uw hart te verwerpen.

Eens u de fase voorbij bent waar u "de verkeerde gedachten kunt stoppen," dan zult u in de fase binnengaan, waar u ook uw "hart kunt beheersen." In die fase, zelfs wanneer u een begeerlijk beeld ziet, wanneer u in uw hart besluit, "Ik kan hier maar beter niet aan denken," dan zal de gedachten niet in uw denken komen. Overspel in het hart komt door een combinatie van gedachten en gevoelens, en wanneer u uw gedachten beheerst, dan zullen de zonden die door zo'n gedachten komen, niet de kans krijgen om uw gedachten binnen te komen.

De volgende fase is een waarbij "ongepaste gedachten gewoonweg niet meer in uw gedachten opkomen." Zelfs wanneer u een begeerlijk beeld ziet, wordt uw denken er niet meer door beïnvloed en kan de begeerte dus niet in uw hart komen. De volgende fase is de fase waar "u zelfs niet meer opzettelijk ongepaste gedachten hebt."

Eens u in die fase bent, zelfs al probeert u begeerlijke gedachten te hebben, het gebeurt gewoon niet. Omdat u die zonde met de wortel hebt uitgerukt, zelfs wanneer u een begeerlijk beeld ziet, hebt u er geen gedachten of gevoelens meer over. Dat betekent, dat de leugenachtige – of goddeloze – beelden niet meer in uw gedachten kunnen komen.

Natuurlijk, terwijl u door de fases gaat van het verwerpen van deze zonde, zullen er misschien tijden zijn wanneer u dacht dat u alles had verworpen, maar de zonde op een of andere manier toch weer binnensluipt.

Maar wanneer u in Gods woorden gelooft, en u hebt het verlangen om Zijn geboden te gehoorzamen en u verwerpt uw zonden, dan zult u niet stagneren in uw wandel van geloof. Het is als het pellen van een ui. Wanneer u een of twee lagen afpelt, lijkt het wel of de laag nooit stopt, maar enkele lagen verder, beseft u pas dat u alle lagen hebt afgepeld.

Gelovigen die naar zichzelf kijken met geloof worden niet teleurgesteld, denkende, "Ik heb zo mijn best gedaan, maar ik ben nog steeds niet in staat om deze zondevolle natuur te verwerpen." In tegenstelling, zouden zij geloof moeten hebben dat zij zullen veranderen naar de mate dat zij proberen om de zonde te verwerpen. En met dat in gedachte, zouden zij er zelfs nog harder naar moeten streven. Wanneer u beseft dat u nog steeds de zondevolle natuur in u hebt, zou u eerder dankbaar moeten zijn dat u nu de kans hebt om ermee af te rekenen.

Wanneer u tijdens de fases van het verwerpen van de begeerte in uw leven, een begeerlijke gedachte krijgt in uw denken, voor slechts een seconde, voel u dan niet bezwaard. God zal dat niet als overspel beschouwen. Wanneer u die gedachte verblijft en het verder laat ontwikkelen, dan wordt het een grote zonde, maar wanneer u zich onmiddellijk bekeerd, en blijft proberen om geheiligd te worden, zal God met genade naar u kijken en zal Hij u de kracht geven om overwinning over de zonde te hebben.

Geestelijk overspel plegen

Overspel met het lichaam plegen wordt beschouwd als overspel in het vlees, maar iets wat ernstiger is dan het plegen van lichamelijk overspel, is het plegen van geestelijk overspel. "Geestelijk overspel" is wanneer een persoon beweert een gelovige te zijn en toch de wereld meer liefheeft dan God. Wanneer u over de fundamentele reden nadenkt, waarom een persoon overspel pleegt, komt dat omdat hij meer liefde in zijn hart heeft voor de vleselijke pleziertjes dan voor God.

Kolossenzen 3:5-6 zegt, *"Doodt dan de leden, die op de aarde zijn: hoererij, onreinheid, hartstocht, boze begeerte en de hebzucht, die niet anders is dan afgoderij, om welke dingen de toorn Gods komt."* Dit betekent dat wanneer wij de Heilige Geest ontvangen, Gods wonderen ervaren, en geloof hebben, wanneer wij niet de hebzucht en de ongepaste verlangens uit ons hart verwerpen, dan geneigd zullen zijn om de dingen van de wereld meer lief te hebben dan God.

We hebben van het tweede gebod geleerd dat de geestelijke uitleg van afgoderij, betekent dat we iets meer liefhebben dan God. Wat is dan het verschil tussen "geestelijke afgoderij" en "geestelijk overspel"?

Afgoderij is wanneer mensen die God niet kennen een soort van beeld scheppen en het aanbidden. De geestelijke betekenis van "afgoderij" is wanneer gelovigen met een zwak geloof de dingen van de wereld meer liefhebben dan God.

Voor sommige nieuw gelovigen die nog een zwak geloof hebben, is het mogelijk voor hen dat zij de wereld meer liefhebben dan God. Ze hebben vaak vragen zoals, "Bestaat God wel echt?" of "Bestaan de hemel en de hel wel echt?" Omdat ze nog steeds twijfelen, is het moeilijk voor hen om te leven overeenkomstig het Woord. Ze kunnen nog steeds meer liefde hebben voor geld, roem of hun familie liefhebben boven God, en daardoor plegen ze geestelijke afgoderij.

Wanneer zij echter meer en meer luisteren naar het woord, en terwijl ze bidden en Gods antwoorden op hun gebeden ervaren, beginnen zij te beseffen dat de Bijbel de waarheid is. En dan kunnen zij geloven dat de hemel en de hel echt bestaan. Daarna, beginnen zij de reden te beseffen waarom zij eerst en vooral echt de liefde van God nodig hebben. Wanneer hun geloof zo groeit, en ze blijven de dingen van de wereld liefhebben en najagen, dan plegen zij "geestelijk overspel."

Laat ons bijvoorbeeld zeggen, dat er een man was, die een hele eenvoudige gedachte had, "Het zou wel leuk zijn om met die vrouw te trouwen," en die vrouw is getrouwd met een andere man. In dat geval, kunnen wij niet zeggen dat de vrouw overspel heeft gepleegd. Omdat de man die deze begeerlijke gedachte had, eenvoudigweg verliefd is op deze vrouw, en de vrouw heeft geen relatie met deze man, dan kunnen we niet zeggen dat zij overspel heeft gepleegd. Om nog specifieker te zijn, deze vrouw was slechts een afgod in het hart van die man.

Aan de andere kant, wanneer de man en de vrouw met elkaar zouden uitgaan, hun liefde voor elkaar zouden bevestigen, en met elkaar trouwen, dan had de vrouw een immorele relatie met een andere man, dan wordt dit wel als overspel beschouwd. Dus u kunt zien dat geestelijke afgoderij en geestelijk overspel bijna op elkaar lijken, maar het zijn toch twee verschillende dingen.

De relatie tussen de Israëlieten en God

De Bijbel vergelijkt de relatie tussen de Israëlieten en God met een relatie tussen een vader en zijn kinderen. Deze relatie wordt ook vergeleken met dat van een man en een vrouw. Dat komt omdat hun relatie gelijkt op dat van een koppel dat een liefdesverbond maakt. Echter, wanneer u kijkt naar de geschiedenis van Israël, zijn er vele tijden wanneer het volk van Israël dit verbond vergat en vreemde goden ging aanbidden.

Heidenen aanbaden afgoden, omdat ze God niet kenden, maar de Israëlieten, ongeacht het feit dat ze God vanaf het begin zo goed kenden, aanbaden valse afgoden vanuit hun begeerlijke verlangens.

Daarom staat er in 1 Kronieken 5:25 geschreven, *"Maar toen zij ontrouw werden jegens de God hunner vaderen en de goden van de volken des lands, die God vóór hen had verdelgd, overspelig naliepen"* betekenend dat de afgoderij van de Israëlieten, in feite, geestelijk overspel was.

Jeremia 3:8 zegt, *"Maar Ik zag, toen Ik Afkerigheid, Israël, ter oorzake van haar echtbreuk, verstoten en haar de scheidbrief gegeven had, dat haar zuster, Trouweloze, Juda, zich niet liet afschrikken, maar heenging en eveneens ontucht pleegde."* Als een gevolg van Salomo's zonde, splitste Israël in Noord Israël en Zuid Juda, tijdens de regering van zijn zoon, Rehobeam. Kort na deze scheiding, pleegde Noord Israël overspel door afgoden te aanbidden en als gevolg werd ze verworpen en vernietigd door de toorn van God. Nadat Zuid Juda, dit alles had zien gebeuren bij Noord Israël, in plaats van zich te bekeren, gingen zij ook verder met het aanbidden van hun afgoden.

Alle kinderen van God die nu in het Nieuwe Testament leven, zijn bruiden van Jezus Christus. Om die reden beleed de apostel Paulus, dat wanneer we de Here ontmoeten, hij hard heeft gewerkt om de gelovigen voor te bereiden als zuivere bruiden van Christus, die hun man is (2 Korintiërs 11:2).

Dus wanneer een gelovige de Here, "Mijn Bruidegom" noemt, terwijl hij of zij verder gaat met het liefhebben van de wereld en afdwaalt van de waarheid, dan pleegt hij of zij geestelijk overspel (Jacobus 4:4). Wanneer een man of een vrouw zijn/haar echtgeno(o)t(e) verraadt en lichamelijk overspel pleegt, is dat een moeilijke zonde om te vergeven. Wanneer iemand God en de Here verraadt en geestelijk overspel pleegt, wat een ernstige zonde is dat?

In Jeremia hoofdstuk 11, kunnen we zien dat God aan Jeremia vertelt om niet voor Israël te bidden, omdat het volk van Israël weigerde om het geestelijk overspel te stoppen. Hij gaat zelfs verder met te zeggen dat wanneer het volk van Israël het tot Hem uitroept, Hij niet naar hen zal luisteren.

Dus wanneer de ernst van het geestelijk overspel een bepaald punt bereikt, zal de persoon die het pleegt niet meer in staat zijn om de stem van de Heilige Geest te horen; en ongeacht hoe hard hij ook bidt, zijn gebed zal niet worden beantwoord. Wanneer iemand verder van God afdwaalt, wordt hij wereldser, en zal hij uiteindelijk de ernstige zonde plegen die tot de dood leidt – zonden zoals lichamelijk overspel. Zoals het geschreven staat in Hebreeën hoofdstuk 6 of hoofdstuk 10, is dit als het opnieuw kruisigen van Jezus Christus, en daarbij het wandelen op de weg van de dood.

Laat ons daarom de zonden van overspel in geest, denken en of lichaam verwerpen, en met heilig gedrag, de kwalificaties verkrijgen om de bruiden van de Here te worden – zonder vlek en rimpel – uitdragende een gezegend leven dat vreugde brengt aan het hart van de Vader.

Hoofdstuk 9

Het Achtste Gebod

"Gij zult niet stelen"

Exodus 20:15

“Gij zult niet stelen.”

Gehoorzaamheid aan de Tien Geboden, heeft een directe invloed op onze redding en onze bekwaamheid om te overwinnen, te veroveren en te heersen over de kracht van de vijand duivel en Satan. Voor de Israëlieten, was het gehoorzaam of ongehoorzaam zijn aan de Tien Geboden, bepalend of zij deel waren van Gods uitverkoren volk of niet.

Evenzo, voor ons die Gods kinderen zijn, of wij gehoorzaam of ongehoorzaam zijn aan Gods Woorden, bepaald of wij gered zijn of niet. Dat komt omdat onze gehoorzaamheid aan Gods geboden een standaard voor ons geloof schept. Dus gehoorzaamheid aan de Tien Geboden is gebonden aan onze redding, en deze geboden zijn ook Gods voorziening van liefde en zegeningen voor ons.

"Gij zult niet stelen."

Er is een Koreaans gezegde, "Een naalddief wordt een koedief." Dit betekent dat wanneer iemand een kleine misdaad begaat en hij wordt niet gestraft, en hij blijft de negatieve daden herhalen, zal hij spoedig eindigen in het doen van een ernstigere misdaad, met grote, negatieve gevolgen. Om die reden waarschuwt God ons, "Gij zult niet stelen."

Dit is een verslag van een man, genaamd Fu Pu-chí, die werd aangesproken als "Tsze-tsien" of "Tzu-chien" en een van de discipelen van Confucius was, en de commandant van Tanfu in de Staat van Lu, tijdens China's Chunqiu (lente en herfst) Periode en Strijdende Staten Periode. Er was nieuws dat de soldaten van de aangrenzende Qi Staat op het punt stonden om aan te vallen, en Fu Pu-ch'i gaf het bevel dat de muren van het koninkrijk goed dicht moesten blijven.

Het gebeurde rond de oogsttijd en de oogst in het veld van de boeren was rijp om te oogsten. De mensen vroegen, "Voordat de poorten dichtgaan, mogen wij de oogst oogsten in het veld, voordat de vijanden komen?" Ondanks het verzoek van het volk, liet Fu Pu-ch'i de poorten sluiten. Toen begon het volk kwaad te worden op Fu Pu-ch'i, bewerende dat hij in de gunst stond bij de vijanden, en hij werd dus voor de koning gebracht voor een ondervraging. Toen de koning hem vroeg over zijn daden, antwoordde Fu Pu-ch'i, "Ja, het is een groot verlies voor ons, als de vijanden al onze oogst nemen, maar wanneer ons volk, in alle haast, de gewoonte krijgt om oogst te verzamelen vanuit velden die niet tot hen behoren, zal het heel moeilijk worden om hen zelfs na tien jaar deze gewoonte af te leren." Met deze verklaring, verkreeg Fu Pu-ch'i groot respect en bewondering van de koning.

Fu Pu-ch'i kon het volk de oogst laten verzamelen, zoals zij verzochten, maar wanneer zij op de een of andere manier leren om hun daden van het stelen van iemand anders veld, te rechtvaardigen, dan zouden de blijvende consequenties op langere termijn, schadelijker zijn voor het volk en hun koninkrijk. Dus "stelen" betekent iets op de verkeerde manier afhandelen met een verkeerde motivatie; of iets nemen wat u niet toebehoort, of heimelijk iemand anders bezittingen nemen.

Maar het "stelen" waar God over spreekt, heeft ook een diepere en grotere geestelijke betekenis. Dus wat is de opgenomen betekenis van "stelen" in het Achtste Gebod?

Iemand anders bezittingen nemen: de natuurlijke definitie van stelen

De Bijbel verbiedt specifiek stelen, en geeft in grote lijnen, specifieke regels over wat er moet gebeuren met iemand die steelt (Exodus 22).

Wanneer een gestolen dier levend wordt gevonden in het bezit van de dief, dan moet de dief het dubbel vergoeden aan de eigenaar. Wanneer een man een dier steelt, en het slacht of verkoopt, zal hij de portie van ossen vijf keer vergoeden aan de eigenaar en de portie van schapen vier keer. Ongeacht hoe klein een onderdeel is, iets nemen wat een ander toebehoord is stelen, wat zelfs de maatschappij als een misdaad bestempeld en waarvoor er specifieke straffen zijn.

Behalve de opmerkelijke gevallen van stelen, zijn er ook gevallen, waar mensen kunnen stelen door te verwaarlozen. Bijvoorbeeld, in ons alledaagse leven, hebben we misschien de gewoonte om de dingen van andere mensen te gebruiken zonder het te vragen en zonder erbij na te denken. We voelen ons zelfs niet schuldig, dat we het gebruiken zonder toestemming, omdat we of heel dicht bij de persoon staan of het voorwerp dat we gebruiken is niet zo waardevol.

Het is hetzelfde geval wanneer we de dingen van onze partner gebruiken zonder toestemming. Zelfs in een onvermijdelijke situatie, wanneer wij iets gebruiken van iemand zonder toestemming, zouden wij het zodra wij klaar zijn met het gebruiken ervan, het terug moeten brengen. Echter, vele keren brengen we het helemaal niet terug.

Dit veroorzaakt niet alleen verlies voor iemand; het is een daad van gebrek aan eerbied voor die persoon. Zelfs al wordt het niet als een ernstige misdaad gezien overeenkomstig de wetten van de maatschappij, dit wordt in Gods ogen gezien als stelen. Wanneer iemand echt een rein geweten heeft, en hij neemt iets – ongeacht hoe klein of onschatbaar – van iemand zonder toestemming, zal hij zich er schuldig over voelen.

Zelfs al stelen we niet of nemen iets met geweld, wanneer wij de bezittingen van iemand anders verkrijgen op een ongepaste wijze, wordt het nog steeds als stelen beschouwd. Iemands positie of macht gebruiken om een steekpenning te ontvangen, valt ook onder deze categorie. Exodus 23:8 waarschuwt, *"Een geschenk zult gij niet aannemen, want een geschenk maakt zienden blind en verdraait de zaak der onschuldigen."*

Verkopers met een goed hart zullen zich schuldig voelen wanneer zij te veel vragen van hun klanten om meer winst voor zichzelf te verkrijgen. Ondanks dat ze niets gestolen hebben van iemands bezit in het geheim, dit wordt nog steeds beschouwd als een handeling van stelen, omdat ze meer namen dan hun eerlijke deel.

Geestelijk stelen: Iets nemen wat God toebehoord

Behalve het "stelen" waar u iets neemt van een ander persoon zonder toestemming, is er ook "geestelijk stelen" waarbij u iets van God neemt zonder toestemming. Dit kan feitelijk iemands redding beïnvloeden.

Judas Iskariot, één van Jezus' discipelen, was aangesteld om alle offers die mensen gaven nadat ze genezen waren en of gezegend werden door Jezus, te beheren. Maar na verloop van tijd, kwam er hebzucht in zijn hart, en begon hij te stelen (Johannes 12:6).

In Johannes hoofdstuk 12, waar Jezus het huis van Simon in Bethanië bezocht, komen we een stuk tegen waar een vrouw tot Jezus komt en parfum over Zijn voeten giet. Bij het zien van dit, bestraft Judas haar, vragende waarom zij het parfum niet had verkocht en het geld aan de armen had gegeven. Wanneer het dure parfum was verkocht, dan zou hij, de beheerder van de geldzak, zichzelf aan geld helpen, maar omdat het over Jezus voeten was uitgegoten, voelde hij het als het verkwisten van een winstgevend voorwerp.

Uiteindelijk, verkocht Judas, die een slaaf van geld werd, Jezus voor dertig zilverstukken. Ondanks dat hij de gelegenheid had om de glorie te ontvangen om geroepen te zijn als één van Jezus' discipelen, stal hij van God en verkocht zijn leraar, terwijl hij zijn zonden opstapelde. Jammer genoeg, kon hij zelfs de geest van bekering niet ontvangen, voordat hij zijn eigen leven nam en zijn ellendige dood ontmoette (Handelingen 1:18).

Daarom is het noodzakelijk dat we dieper kijken naar wat er gebeurt met iemand die van God steelt.

Het eerste geval is wanneer iemand iets neemt uit de kas van de gemeente.

Zelfs wanneer de dief een ongelovige is, wanneer hij van de gemeente steelt, zal hij een bepaalde soort van angst hebben in zijn hart. Maar wanneer de gelovige iets neemt van Gods geld, hoe kan hij zeggen dat hij het geloof van redding heeft ontvangen?

Ook al ontdekken de mensen het nooit, God ziet alles, en wanneer de tijd komt, zal Hij Zijn oordeel van gerechtigheid toepassen, en zal de dief de boete voor zijn zonden betalen.

Wanneer de dief niet in staat is om zich te bekeren van zijn zonden en sterft zonder redding te ontvangen, hoe erg zou dat zijn? Tegen die tijd, ongeacht hoeveel hij op zijn borst slaat en spijt heeft van zijn daden, het zou te laat zijn. Hij had om te beginnen, Gods geld niet moeten aanraken.

Het tweede geval is wanneer iemand de bezittingen van de gemeente misbruikt of het geld van de gemeente misbruikt.

Zelfs al heeft iemand niet rechtstreeks geld van de offers gestolen, wanneer hij het offergeld gebruikt voor een lidmaatschapsbijdrage van een zendingsgroep of andere donaties voor hun persoonlijk gebruik, is dat hetzelfde als stelen van God. Het is ook stelen wanneer iemand kantoorartikelen koopt met het geld van de kerk en het voor zijn eigen persoonlijke noden gebruikt.

Gemeente voorraad verkwisten, uit de gemeentefondsen nemen om voorraad te kopen en het overschot van het wisselgeld gebruiken voor andere doeleinden in plaats van het terug te geven aan de kerk, of de telefoon, elektriciteit, uitrusting, meubels of andere dingen van de gemeente gebruiken voor persoonlijk gebruik, zonder discretie te gebruiken, zijn ook een vorm van misbruik van het geld van de gemeente.

We moeten er ook voor zorgen dat kinderen niet de offerenvelloppen, gemeente blaadjes of nieuwbrieven voor hun plezier of om te spelen vouwen of scheuren. Sommigen denken dat dit vrij onbeduidende misdragingen zijn, maar op geestelijk niveau, is het in principe stelen van God, en kunnen deze acties barrières van zonde worden tussen ons en God.

Het derde geval is het stelen van tienden en offers.

In Maleachi 3:8-9, zegt het, *"Mag een mens God beroven? Toch berooft gij Mij. En dan zegt gij: Waarin beroven wij U? In de tienden en de heffing. Met de vloek zijt gij vervloekt, en Mij berooft gij, gij volk in zijn geheel!"*

Tienden geven is God een tiende van onze verdiensten geven, als bewijs dat we begrijpen dat Hij de Meester is over alle materiële dingen en dat Hij al onze levens controleert. Om die reden, wanneer wij zeggen dat wij in God geloven en nog niet onze tienden geven, dan stelen wij van God en dan kan er een vloek in ons leven sluipen. Dat betekent niet dat God ons zal vervloeken. Het betekent dat wanneer Satan ons aanklaagt om deze overtreding, God ons niet kan beschermen, omdat wij in feite, Gods geestelijke wet overtreden. Daarom kunnen wij financiële problemen, misleidingen, plotselinge rampen of ziekten ervaren.

Maar zoals het wordt gezegd in Maleachi 3:10, *"Breng de gehele tiende naar de voorraadkamer, opdat er spijze zij in mijn huis; beproeft Mij toch daarmede, zegt de Here der heerscharen, of Ik dan niet voor u de vensters van de hemel zal openen en zegen in overvloed over u uitgieten.*" Wanneer wij de gepaste tienden geven, kunnen wij Gods beloften van zegeningen en bescherming ontvangen.

Er zijn dan enkele mensen die Gods bescherming niet ontvangen, omdat ze niet hun gehele tiende brengen. Zonder rekening te houden met andere bronnen van inkomen, berekenen mensen hun tienden van hun nettosalaris, in plaats van hun brutosalaris, en dat is na het aftrekken van alle inhoudingen en belastingen.

Maar het geven van de gepaste tiende, is God een tiende geven van ons totale inkomen. Inkomsten van een nevenactiviteit, financiële geschenken, diner uitnodiging, of geschenken zijn allemaal persoonlijke voordelen, dus we zouden daar één tiende over moeten berekenen van dit type verdiensten en een gepast tiende van moeten maken.

In sommige gevallen, berekenen mensen hun tienden, maar geven het als offer aan God voor verschillende offer doeleinden, zoals zending offers, of welwillendheidsoffers. Maar dit wordt nog steeds als stelen van God beschouwd, omdat het niet de juiste tiende is. Hoe de gemeente het geld van offers gebruikt, is aan de financiële afdeling van de gemeente, maar het is aan ons om onze tienden te geven onder de juiste offertitel.

We kunnen ook andere offers geven zoals dankoffers.

Kinderen van God hebben zoveel om dankbaar voor te zijn. Met de gave van redding, kunnen we naar de hemel gaan, met verschillende plichten die we in de kerk vervullen, kunnen we beloningen in de hemel oogsten, en terwijl we hier op aarde leven, ontvangen we Gods bescherming en zegen ten alle tijden, dus hoe dankbaar zouden wij wel niet moeten zijn!

Om die reden komen wij elke zondag voor God met verschillende dankoffers, God dankende voor zijn bescherming voor een andere week. En tijdens Bijbelse festiviteiten of gelegenheden, wanneer we een bijzondere reden hebben om God te danken, zetten we een speciaal offer apart en geven het aan God.

In onze relatie met andere mensen, wanneer iemand ons helpt of ons op een speciale manier dient, voelen wij niet alleen dankbaarheid in ons hart; maar we willen iets aan hem teruggeven. Op dezelfde manier, is het slechts normaal dat we iets aan God willen offeren om onze waardering te laten zien dat Hij ons redding geeft en de Hemel voor ons heeft voorbereid (Mattheüs 6:21).

Wanneer iemand zegt dat hij geloof heeft en toch gierig is in zijn geven aan God, dan betekent dat dat hij nog steeds hebzucht naar materiële dingen heeft. Dit laat zien dat hij materiële dingen meer liefheeft dan God. Om die reden zegt Mattheüs 6:24, *"Niemand kan twee heren dienen, want hij zal òf de ene haten en de andere liefhebben, òf zich aan de ene hechten en de andere minachten; gij kunt niet God dienen èn Mammon."*

Wanneer wij volwassen Christenen zijn, en materiële bezittingen meer liefhebben dan God, dan is het veel gemakkelijker voor ons om in ons geloof terug te vallen dan om voorwaarts te gaan. De genade die wij eens hebben ontvangen, wordt een lang verdwenen herinnering, de redenen om dankbaar te zijn verschrompelen, en voordat we het weten, verschrompelt ons geloof tot op het punt dat onze redding in gevaar is.

God heeft welgevallen in de geur van een offer uit echte dankbaarheid en geloof. Iedereen heeft een verschillende mate van geloof, en God kent de situatie van ieder persoon en Hij ziet het innerlijke van ieders hart. Dus, het is niet de grote of hoeveelheid van offer dat belangrijk is voor Hem. Herinner dat Jezus de weduwe aanbevool die twee kleine koper muntjes gaf, omdat het haar hele levensonderhoud was (Lucas 21:2-4).

Wanneer wij God zoals dit behagen, zal God ons met zoveel zegeningen en redenen om dankbaar te zijn zegenen, dat de offers die wij geven onvergelijkbaar zijn met de zegeningen die wij van Hem ontvangen. God zorgt ervoor dat het welgaat met onze ziel, en Hij zegent ons zodat onze levens overstromen met zelfs nog meer redenen om dankbaar te zijn. God zegent ons dertigvoudig, zestigvoudig en honderdvoudig voor de offers die wij aan Hem geven.

Nadat ik Christus aannam, leerde ik dat ik de juiste tiende en offers aan God moest geven en ik begon het onmiddellijk te gehoorzamen. Ik had een grote schuld opgebouwd, tijdens de zeven jaren dat ik bedlegerig was door mijn ziekten, maar omdat ik zo dankbaar was dat God mij van mijn ziekten had genezen, offerde ik altijd zoveel mogelijk als ik kon aan God. Ondanks dat mijn vrouw en ik beide werkten, betaalden we amper de rente van onze schuld af. Niettemin, we ging nooit met lege handen naar en aanbiddingdienst.

Toen wij geloofden in de almachtige God en Zijn woorden gehoorzaamden, hielp Hij ons met het afbetalen van onze overweldigende schuld, in slechts een paar maanden. In die tijd, waren wij in staat om Gods oneindige uitstorting van zegeningen te ervaren over ons, zodat wij in overvloed konden leven.

Het vierde geval is Gods Woorden stelen.

Gods woorden stelen betekent een valse profetie spreken in de naam van God (Jeremia 23:30-32). Bijvoorbeeld, er zijn mensen die Zijn woorden stelen door te zeggen dat zij Gods stem hebben gehoord en ze spreken over de toekomst als een waarzegger of vertellen een persoon die steeds faalt in zijn bedrijf, dat "God laat u falen in uw bedrijf, omdat u eigenlijk een voorganger moet worden, in plaats van een zaak te leiden."

Het wordt ook als stelen van Gods woord beschouwd, wanneer iemand een droom of visioen afleidt van zijn eigen denken en zegt, "God gaf mij deze droom," of "God gaf mij dit visioen." Dit valt ook onder de categorie van Gods naam ijdel gebruiken.

Natuurlijk is het begrijpen van de wil van God door het werk van de Heilige Geest en Gods wil verklaren goed, maar om dit op de juiste manier te doen, moeten wij onderzoeken of wij aanvaardbaar zijn voor God. Dat komt omdat God niet zomaar door iemand spreekt. Hij kan alleen maar door degenen spreken die gebrek aan slechtheid in hun harten hebben. Om die reden moeten wij er zeker van zijn dat we op geen enkele wijze van Gods woorden stelen terwijl we ondergedompeld zijn in onze eigen gedachten.

Anders dan dit, wanneer wij pijnscheuten in ons geweten voelen of schaamte of verlegenheid, wanneer wij iets nemen of iets doen, is dat een teken dat wij onszelf opnieuw zouden moeten onderzoeken. De reden waarom wij de pijnscheuten in ons geweten voelen komt omdat we misschien iets nemen dat niet van ons is voor onze eigen zelfzuchtige motieven, en de Heilige Geest binnen in ons bedroefd is.

Bijvoorbeeld, zelfs wanneer wij sommige voorwerpen niet stelen, wanneer wij een loon ontvangen nadat wij lui hebben gewerkt of wanneer wij een plicht of een taak in de gemeente ontvangen, maar wij vervullen onze verantwoordelijkheden niet, ervan uitgaand dat we een goed hart hebben, zouden wij de pijnscheuten in ons geweten moeten voelen.

Ook wanneer een toegewijd persoon tijd verkwist die voor

God apart is gezet en verloren tijd voor Gods Koninkrijk veroorzaakt, dan steelt hij tijd. Niet alleen van God, maar ook in het werk of informele omgevingen, moeten wij ervoor zorgen dat we punctueel zijn zodat wij geen verlies voor anderen veroorzaken door hun tijd te verkwisten.

Daarom zouden wij altijd onszelf moeten evalueren om er zeker van te zijn dat we niet stelen, en moeten wij onze zelfzuchtigheid, en hebzucht uit ons denken en hart verwerpen. En met een rein geweten, zouden we ernaar moeten streven om een echt en oprecht hart te verkrijgen.

Hoofdstuk 10

Het Negende Gebod

"Gij zult geen valse getuigenis spreken tegen uw naaste"

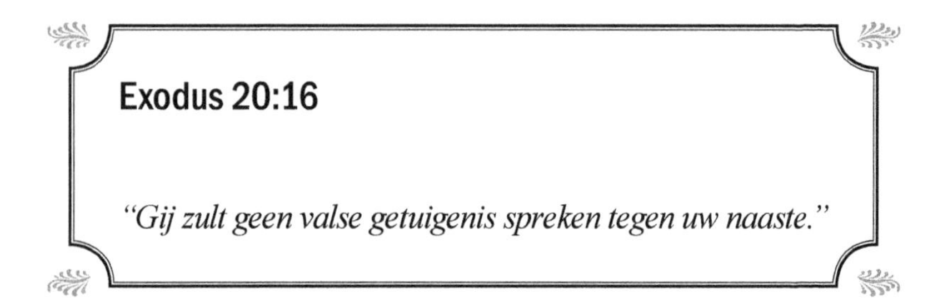

Exodus 20:16

“Gij zult geen valse getuigenis spreken tegen uw naaste.”

Het was de nacht waarin Jezus gevangen genomen werd. Terwijl Petrus in de binnenplaats zat waar Jezus ondervraagt werd, zei een dienstmeisje tegen hem, "Ook gij waart bij Jezus, de Galileeër." Hierop antwoordde een verbaasde Petrus, "Ik weet niet, wat gij zegt" (Mattheüs 26).

Petrus verloochende Jezus niet vanuit het diepst van zijn hart – hij loog omdat hij gegrepen werd door angst. Vlak na deze gebeurtenis, ging Petrus naar buiten en sloeg zijn hoofd tegen de muur en weende bitter. Toen Jezus het kruis naar Golgotha droeg, kon Petrus Hem slechts vanaf een afstand volgen, beschaamd en niet in staat om zijn hoofd op te heffen.

Ondanks dat dit allemaal gebeurde voordat Petrus de Heilige Geest ontving, omdat dit een leugen was, durfde hij later niet gekruisigd te worden zoals Jezus, in een staande positie. Zelfs nadat hij de Heilige Geest had ontvangen en zijn hele leven had toegewijd aan Zijn bediening, was hij zo beschaamd over het moment dat hij Jezus had verloochend, dat hij uiteindelijk vrijwillig ondersteboven werd gekruisigd.

"Gij zult geen valse getuigenis spreken tegen uw naaste"

Van de woorden die mensen op dagelijkse basis spreken, zijn er sommige woorden die heel erg belangrijk zijn, terwijl andere woorden onbeduidend zijn. Sommige woorden betekenen niets, en sommige woorden zijn slechte woorden die of andere mensen kwetsen of misleiden.

Leugens zijn slechte woorden die afwijken van de waarheid. Ondanks dat ze het niet toegeven, vertellen vele mensen elke dag talloze leugens– zowel grote als kleine. Sommige mensen zeggen vol trots, "Ik vertel geen leugens," maar voordat ze het weten, staan ze onbewust voor een bergtop vol van leugens.

Vuilheid, viesheid, en wanorde kunnen in het duister verborgen blijven. Echter, wanneer een stralend licht in een kamer schijnt, komt zelfs het kleinste stofdeeltje of vlek duidelijk naar voren. Ook, God die de waarheid zelf is, is als een licht; en Hij ziet vele mensen die altijd leugens vertellen.

Om die reden vertelt God ons in het negende gebod om geen vals getuigenis tegen ons naaste te spreken. Hier, betekent "naaste" ouders, broers, kinderen – iedereen behalve zichzelf. Laat ons in drie delen onderzoeken hoe God "een vals getuigenis" definieert.

Ten eerste, betekent "een vals getuigenis spreken" op een leugenachtige manier spreken over uw naaste.

We kunnen zien hoe vreselijk het spreken van een vals getuigenis kan zijn, door bijvoorbeeld, te kijken naar een gerechtelijk onderzoek. Omdat het getuigenis een rechtstreeks effect heeft op het uiteindelijke oordeel, kan bij de minste aanleiding, een groot ongeluk veroorzaken voor een onschuldig persoon, en de situatie wordt een zaak van leven of dood voor hem.

Om het misbruik van een vals getuige of kwaadaardige praktijk van valse getuigenissen te voorkomen, beval God dat rechters naar vele verschillende getuigen moesten luisteren om alle aspecten goed te begrijpen, zodat zij een wijs en discreet oordeel kunnen maken. Daarom gaf Hij hen het gebod dat degenen die getuigen en degenen die richten, dit moeten doen met wijsheid en voorzichtigheid.

In Deuteronomium 19:15, zegt God, *"Eén enkele getuige zal niet tegen iemand kunnen optreden ter zake van enige ongerechtigheid of zonde, welke ook, die hij begaan mocht hebben; op de verklaring van twee of drie getuigen zal een zaak vaststaan."* Hij gaat verder met spreken in de verzen 16-20 dat *"en blijkt, dat de getuige een valse getuige is en dat hij een valse aanklacht tegen zijn broeder heeft ingediend,"* dan zult gij hem doen, zoals hij zijn broeder dacht te doen.

Behalve de ernstige gevallen zoals deze waarbij een persoon een groot verlies bij een ander persoon veroorzaakt, zijn er zovele gevallen waarbij mensen kleine leugens hier en daar vertellen over hun naaste in het alledaagse leven. Zelfs wanneer iemand niet liegt over zijn naaste, wanneer hij de waarheid in een situatie niet bekend maakt, kan dit ook worden beschouwd als het spreken van een vals getuigenis.

Wanneer een ander persoon de schuld krijgt van iets dat wij verkeerd hebben gedaan, en we spreken niet omdat we bang zijn dat we problemen krijgen, hoe kunnen we dan een rein geweten hebben? Ja, God beveelt ons om niet te liegen, maar Hij beveelt ons ook om een eerlijk hart te hebben, zodat onze woorden en daden integriteit alsook waarheid uitstralen.

Wat denkt God dan over "kleine leugentjes om bestwil" die we vertellen om iemand te troosten of zich beter te laten voelen?

Bijvoorbeeld, we bezoeken een vriend en hij vraagt ons, "Hebt u al gegeten?" En ondanks dat we nog niet hebben gegeten, antwoorden wij, "Ja, ik heb al gegeten," om hem niet tot last te zijn. Echter, in dit geval, zouden wij de waarheid moeten spreken, door te zeggen, "Nee, ik heb nog niet gegeten, maar ik wil nu ook niet eten."

Er zijn zelfs voorbeelden van "kleine leugentjes om bestwil" in de Bijbel.

In Exodus hoofdstuk 1, is er het verhaal waar de koning van Egypte zenuwachtig wordt, omdat de zonen van Israël in grote aantallen groeide, en hij gaf een specifiek bevel aan de Hebreeuwse vroedvrouwen, *"Wanneer gij de Hebreeuwse vrouwen bij de bevalling helpt, dan moet gij goed toezien bij de verlossing; indien het een zoon is, dan moet gij hem doden, maar indien het een dochter is, mag zij blijven leven"* (v. 16).

Maar de Godvrezende vroedvrouwen luisterden niet naar de

koning van Egypte en lieten de mannelijke baby's leven. Toen de koning de vroedvrouwen verhoorde en vroeg, "Waarom hebt gij dit gedaan en de jongens laten leven?" Antwoordden zij, "De Hebreeuwse vrouwen zijn niet als de Egyptische; zij zijn sterk: voordat een vroedvrouw bij haar komt, hebben zij al gebaard."

Ook toen de eerste koning van Israël, koning Saul, jaloers werd op David en hem probeerde te doden omdat hij door het volk meer geliefd was dan hijzelf, bedroog Jonatan, Sauls zoon, hem om het leven van David te redden.

In dit geval, waar mensen een leugen vertellen, enkel voor het voordeel van een ander persoon, vanuit een goede bedoeling, en niet vanuit zelfzuchtige motieven, zal God hem niet zomaar bestraffen en zeggen, "U hebt gelogen." Net zoals Hij met de Hebreeuwse vroedvrouwen deed, zal Hij Zijn genade aan hen laten zien, omdat ze geprobeerd hebben om levens te redden vanuit goede bedoelingen. Echter wanneer mensen een niveau bereiken van volkomen goedheid, zullen zij proberen om het hart van de vijand of de persoon waar ze mee te maken hebben aan te raken zonder een "leugentje om bestwil" te moeten vertellen.

Ten tweede, woorden toevoegen of veranderen wanneer u een boodschap van iemand moet overbrengen is een andere vorm van het spreken van een vals getuigenis.

Dit is het geval wanneer u een boodschap over iemand doorgeeft, die de waarheid verdraaid – misschien omdat u uw eigen gedachten of gevoelens erin hebt gebracht of bepaalde woorden hebt weggelaten. Wanneer iemand iets vertelt, luisteren de meeste mensen met subjectieve oren, dus hoe zij de informatie opvatten hangt zwaar af van hun eigen emoties en ervaringen in het verleden. Om die reden, wanneer bepaalde informatie van de ene persoon naar de andere persoon wordt overgebracht, raakt de oorspronkelijke boodschap die de spreker had gemakkelijk verloren.

Maar zelfs wanneer elk woord – interpunctie en alles – correct wordt overgebracht, afhankelijk van de intonatie en de klemtoon waarmee de boodschapper een bepaald woord brengt, zal de betekenis onvermijdelijk veranderen. Bijvoorbeeld, er is een groot verschil tussen wanneer iemand liefdevol zijn vriend vraagt, "Waarom?" en iemand die wrede uitdrukking op zijn gezicht schreeuwt naar zijn vijand, "Waarom?!"

Om die reden, iedere keer wanneer wij naar iemand luisteren, moeten wij proberen om te begrijpen wat hij zegt, zonder enige persoonlijk gevoelens aan hun boodschap toe te voegen. Dezelfde regel kan worden toegepast wanneer we met anderen spreken. We zouden ons best moeten doen om nauwkeurig te blijven bij de oorspronkelijk boodschap van de spreker – zijn bedoelde betekenis en al.

Bovendien, wanneer de inhoud van de boodschap leugenachtig is of niet noodzakelijk de luisteraar helpt, zelfs al kunnen we de boodschap nauwkeurig overbrengen, is het beter dat we de boodschap helemaal niet overbrengen. Dat komt, omdat, ook al brengen wij het met de goede bedoeling over, de ontvangende partij kan zich gekwetst voelen of aanstoot nemen; en wanneer dat gebeurt, kunnen we uiteindelijk onenigheid veroorzaken tussen mensen.

Mattheüs 12:36-37 zegt, *"Maar Ik zeg u: Van elk ijdel woord, dat de mensen zullen spreken, zullen zij rekenschap geven op de dag des oordeels, want naar uw woorden zult gij gerechtvaardigd worden, en naar uw woorden zult gij veroordeeld worden."* Daarom zouden wij ons moeten onthouden van het spreken van woorden die niet in de waarheid of in de liefde van de Here zijn. Dit geldt ook voor hoe wij naar woorden moeten luisteren.

Ten derde, anderen oordelen en bekritiseren zonder echt hun hart te begrijpen is ook een vorm van het geven van een vals getuigenis tegen een naaste.

Heel vaak, maken mensen een oordeel over het hart of de intenties van iemand door alleen maar te kijken naar zijn uitdrukkingen of acties, terwijl zij hun eigen gedachten en gevoelens als gids gebruiken. Ze zeggen misschien, "Die persoon heeft dit waarschijnlijk met die gedachte gezegd," of ze zeggen misschien, "Hij heeft absoluut deze intenties gehad om op deze manier te handelen."

Veronderstel dat een jonge werker te vriendelijk handelde naar zijn supervisor, omdat hij nerveus was voor zijn nieuwe werkomgeving. De supervisor zou kunnen denken, "Deze nieuwe kerel lijkt zich wel heel ongemakkelijk te voelen bij mij. Het komt misschien omdat ik hem laatst negatieve kritiek heb gegeven." Dit is een misvormt concept gevormd door de supervisor gebaseerd op zijn eigen ideeën. In een ander geval, iemand met een slecht gezichtsvermogen of diep in gedachten verzonken wandelt naast zijn vriend en realiseert zich niet dat het de vriend was. De vriend zou kunnen denken, "Hij handelt alsof hij mij niet eens kent! Ik vraag mij af of hij boos op mij is."

En wanneer iemand in deze zelfde situatie was, kan hij nog een andere reactie laten zien. Iedereen heeft verschillende gedachten en gevoelens, en dus ieder persoon reageert anders op bepaalde omstandigheden. Derhalve, op voorwaarde dat iedereen dezelfde ontberingen zou ondergaan, zou elk individu een verschillende mate van kracht hebben om te overwinnen. Om die reden, wanneer wij iemand in pijn zien, zouden wij hen nooit moeten oordelen door onze eigen standaard van pijntolerantie en denken, "Waarom maakt hij zoveel ophef over iets wat niets voorstelt?" Het is niet gemakkelijk om het hart van een ander persoon volledig te begrijpen – zelfs wanneer we echt van hem houden en een hechte relatie met hem hebben.

Bovendien, zijn er zoveel andere manieren waarop mensen

anderen verkeerd oordelen en verkeerd begrijpen, teleurgesteld met hen worden, en hen dan uiteindelijk veroordelen… allemaal omdat ze anderen oordelen naar hun eigen standaards. Indien, wij op basis van onze eigen normen een ander persoon beoordelen, denkend dat hij een specifieke bedoeling in zijn hart heeft, hoewel hij dat niet echt heeft, en dan negatief over hem praat, geven wij een vals getuigenis over hem. En als we aan dit soort daden deelnemen door te luisteren naar deze onwaarheid en bijdragen aan het oordelen en veroordelen van een bepaalde persoon, dan, zijn we aan het zondigen door een vals getuigenis te geven van onze naaste.

De meeste mensen denken dat wanneer zij zelf op een bepaalde situatie op een verkeerde manier reageerden, dat anderen hetzelfde zouden doen in dezelfde situatie. Omdat ze een bedrieglijk hart hebben, denken zij dat anderen ook bedrieglijke harten hebben. Wanneer zij een bepaalde situatie of scène zien en verkeerde gedachten hebben, denken zij, "Ik wed dat die persoon ook slechte gedachten heeft." En omdat zijzelf op anderen neerkijken, denken zij, "Die persoon kijkt op mij neer. Hij heeft een hoge dunk van zichzelf."

Daarom zegt Jakobus 4:11, *"Spreekt geen kwaad van elkander, broeders. Wie van zijn broeder kwaadspreekt of hem oordeelt, spreekt kwaad van de wet en oordeelt haar; en indien gij de wet oordeelt, zijt gij geen dader, doch een rechter der wet."* Wanneer iemand oordeelt of een medebroeder lastert, betekent dat dat hij trots is, en dat hij ten slotte als God, de

Rechter wil zijn.

En het is belangrijk om te weten dat wanneer wij praten over de zwakheden van mensen of hen oordelen, wij een zonde plegen die nog slechter is. Mattheüs 7:1-5 zegt, *"Oordeelt niet, opdat gij niet geoordeeld wordt; want met het oordeel, waarmede gij oordeelt, zult gij geoordeeld worden, en met de maat, waarmede gij meet, zal u gemeten worden. Wat ziet gij de splinter in het oog van uw broeder, maar de balk in uw eigen oog bemerkt gij niet? Hoe zult gij dan tot uw broeder zeggen: Laat mij de splinter uit uw oog wegdoen, terwijl, zie, de balk in uw oog is? Huichelaar, doe eerst de balk uit uw oog weg, dan zult gij scherp kunnen zien om de splinter uit het oog van uw broeder weg te doen."*

Er is nog één ding waar we heel voorzichtig mee moeten zijn en dat is het oordelen van Gods woorden gebaseerd op onze eigen gedachten. Wat bij mensen onmogelijk is, is mogelijk bij God, dus wanneer het tot Gods Woorden komt, zouden we nooit mogen zeggen, "Dat is verkeerd."

Liegen door te overdrijven of de waarheid te verzwakken

Zonder kwade bedoelingen, zijn mensen op dagelijkse basis, geneigd om te overdrijven of de waarheid te verzwakken. Bijvoorbeeld, wanneer iemand veel eten heeft gegeten, zeggen we misschien wel, "Hij heeft alles opgegeten." En terwijl er nog een klein beetje eten over is, zeggen we misschien, "Er was geen kruimel over!" Er zijn zelfs tijden, wanneer er slechts drie of vier mensen overeenkomen over iets, dat we zeggen, "Iedereen was het eens."

Evenzo, wat vele mensen niet als een leugen beschouwen, is eigenlijk wel een leugen. Er zijn zelfs gevallen wanneer we over een situatie praten waarover wij niet echt alle feiten kennen, en als gevolg, vertellen we een leugen.

Bijvoorbeeld, laat ons zeggen dat iemand ons vraagt hoeveel werknemers er voor een bepaald bedrijf werken, en wij antwoorden, "Er zijn zoveel mensen," en dan later gaan we tellen en komen tot het besef dat het aantal eigenlijk anders is. Ondanks dat het niet onze bedoeling was om te liegen, wat we zeiden is toch een leugen, omdat het anders is dan de waarheid. Dus in dat geval, zou een betere manier van antwoorden op deze vraag zijn, "Ik weet niet het precieze aantal, maar ik denk dat er ongeveer zoveel mensen zijn."

Natuurlijk hadden we in dit soort gevallen niet de intentie om een leugen te vertellen vanuit kwade motieven, of om anderen te oordelen met slechte harten. Echter, als we zelfs de geringste hint van dit soort gedachten en handelingen zien, dan is het een goed idee om tot de bodem van het probleem te komen. Een persoon wiens hart gevuld is met de waarheid zal niets toevoegen of afnemen van de waarheid, ongeacht hoe klein de zaak is.

Een echt waarachtig en eerlijk persoon kan de waarheid als waarheid ontvangen, en de waarheid opnieuw als waarheid leggen. Dus zelfs wanneer iets heel klein en onbelangrijk is, wanneer wij onszelf erover zien praten, met ook maar een kleine leugen erin, dan zouden wij moeten weten dat dat betekent dat ons hart nog niet volledig met de waarheid is vervuld. En wanneer ons hart nog niet volledig met de waarheid is vervuld, betekent dit dat wanneer we onder levensbedreigende omstandigheden komen, we volkomen capabel zijn om schade aan een ander persoon te brengen door over hen te liegen.

Zoals het geschreven staat in 1 Petrus 4:11, *"Spreekt iemand, laten het woorden zijn als van God;"* zouden wij moeten proberen om niet te liegen of een grap te maken door leugenachtige woorden te gebruiken. Ongeacht wat we zeggen, we zouden altijd de waarheid moeten spreken, alsof we Gods Woorden spreken. En we kunnen dit doen door vurig te bidden en de leiding van de Heilige Geest te ontvangen.

Hoofdstuk 11

Het Tiende Gebod

"Gij zult niet begeren uws naasten huis"

Exodus 20:17

"Gij zult niet begeren uws naasten huis; gij zult niet begeren uws naasten vrouw, noch zijn dienstknecht, noch zijn dienstmaagd, noch zijn rund, noch zijn ezel, noch iets dat van uw naaste is."

Kent u het verhaal van de gans die een gouden ei legde, één van de bekende Fabels van Aesopus? Er was eens een boer die in een klein dorp leefde, en in het bezit was van een vreemde gans. Terwijl hij nadacht wat hij met die gans zou doen, gebeurde er iets heel schokkend.

De gans begon elke morgen een gouden ei te leggen. En toen op een dag dacht de boer, "Er zijn waarschijnlijk een heleboel van die gouden eieren in die gans." En plotseling werd hij zelfzuchtig en wilde hij eigenlijk een hele lading van die eieren, zodat hij onmiddellijk rijk kon zijn, in plaats van elke dag te wachten om dat ene gouden ei te krijgen.

Toen zijn hebzucht zo groot werd, besloot hij de gans te slachten alleen maar om te ontdekken dat er geen gouden eieren te bespeuren waren in die gans. Op dat moment besefte de boer dat hij verkeerd had gehandeld en had spijt, maar het was te laat.

Zoals hier, heeft een hebzuchtig persoon geen grenzen. Ongeacht hoeveel rivieren er naar de oceaan stromen, de oceaan kan niet worden gevuld. Zo is het ook met een hebzuchtig mens. Ongeacht hoeveel hij/zij bezit, er is geen volkomen tevredenheid. We zien het elke dag. Wanneer iemands hebzucht zo groot wordt, voelt hij zich niet alleen ontevreden met wat hij heeft, maar hij wordt ook begerig en probeert te bezitten wat anderen hebben, zelfs als het betekent dat hij slechte methodes hiervoor moet gebruiken. Dan eindigt hij met het plegen van een grove zonde.

"Gij zult niet begeren uws naasten huis"

Om iets te "begeren" betekent iets willen dat van iemand anders is en dan proberen om de bezittingen van iemand anders te bezitten door ongepaste manieren te gebruiken; of een hart hebben dat verlangt naar de vleselijke dingen van de wereld.

De meeste misdaden beginnen met een begerig hart. Begerigheid kan er voor zorgen dat mensen liegen, stelen, beroven, bedriegen, geld verduisteren, vermoorden, en allerlei soorten van andere misdaden doen. Er zijn ook gevallen, waarbij mensen niet alleen materiele dingen begeren, maar ook positie en roem.

Vanwege deze begerige harten, veranderen relaties, ouder-kind relaties, zelfs man-vrouw relaties in vijandige relaties. Soms worden families elkaars vijanden, en in plaats van een gelukkig leven in de waarheid te leven, worden mensen jaloers en naijverig op degenen die meer hebben dan zij.

Daarom waarschuwt God ons door het tiende gebod tegen begerigheid, welke geboorte geeft aan zonde. Bovendien, wil God dat wij onze gedachten zetten op de dingen van boven (Kolossenzen 3:2). Alleen wanneer wij het eeuwige leven zoeken en onze harten vullen met de hoop van de hemel, kunnen wij ware tevredenheid en geluk vinden. Alleen wanneer wij de begerigheid verwerpen. Lucas 12:15 zegt, *"Ziet toe, dat gij u wacht voor alle hebzucht, want ook als iemand overvloed heeft, behoort zijn leven niet tot zijn bezit."* Zoals Jezus zei, alleen wanneer wij alle begerigheid verwerpen, kunnen wij van de zonde wegblijven en daarom eeuwig leven hebben.

Het proces waardoor begerigheid naar buiten komt in de vorm van zonde

Dus hoe verandert begerigheid in een zondevolle daad? Laat ons zeggen dat u een buitengewoon rijk huis bezoekt. Het huis is gemaakt met marmer en het is absoluut groot. Het huis is vervuld met allerlei soorten van luxueuze dingen. Het is genoeg om iemand te laten zeggen, "Dit huis is geweldig. Het is absoluut mooi!"

Maar vele mensen stoppen niet na het maken van dit soort commentaar. Ze gaan door met denken, "Ik wenste dat ik ook zo'n huis had. Ik wenste dat ik ook zo rijk kon zijn als die persoon..." Natuurlijk zullen echte gelovigen deze gedachte niet toestaan om zich te ontwikkelen in een gedachte om te gaan stelen. Maar door dit soort gedachten, "Ik wenste dat ik dat ook had," kan hebzucht hun hart binnengaan.

En wanneer hebzucht het hart binnenkomt, dan is het maar een kwestie van tijd voordat degene zondigt. Er staat geschreven in Jakobus 1:15, *"Daarna, als die begeerte bevrucht is, baart zij zonde; en als de zonde volgroeid is, brengt zij de dood voort.*" Er zijn sommige gelovigen, die overweldigd worden door dit verlangen of begeerte, en eindigen in het doen van een misdaad.

In Jozua hoofdstuk 7, lezen we over Achan, die overweldigd werd met dit type van hebzucht en uiteindelijk de doodstraf kreeg. Jozua, als de leider in plaats van Mozes, was in het proces van het in bezit nemen van het land Kanaän. De Israëlieten hadden net het land Jericho veroverd. Jozua wilde dat zijn volk alles wat uit Jericho kwam aan God zouden toewijden, zodat niemand iets ervan in bezit zou nemen.

Echter, bij het zien van een dure mantel en wat zilver en goud, begeerde Achan het en verborg ze in stilte voor zichzelf. Omdat Jozua, hier niets over wist, ging hij verder naar de volgende stad om die te veroveren, welke de stad Ai was. Omdat Ai een kleine stad was, zagen de Israëlieten het als een gemakkelijke strijd. Maar tot hun verbijstering, verloren ze. Toen vertelde God aan Jozua dat het kwam door de zonde van Achan. Als gevolg, stierf niet alleen Achan, maar zijn hele familie – en zelfs zijn vee.

In 2 Koningen, hoofdstuk vijf, kunnen we lezen over Gehazi, de dienstknecht van Elisa, die melaats werd, omdat hij dingen begeerde die hij niet zou moeten hebben. Zoals Elisa hem vertelde, dompelde de legeroverste Naäman zichzelf zeven keer onder in de Jordaan Rivier om gereinigd te worden van zijn melaatsheid. Nadat hij gereinigd was, wilde hij Elisa enkele geschenken geven, als een bewijs van waardering. Maar Elisa weigerde om iets aan te nemen.

Terwijl, de legeroverste terug op weg was naar zijn thuisland, rende Gehazi achter hem aan, handelde alsof Elisa hem had gezonden en vroeg om enkele geschenken. Hij nam de geschenken aan en verborg ze. Daar bovenop, gaat hij terug naar Elisa en probeerde hem te misleiden, ongeacht het feit dat Elisa vanaf het begin op de hoogte was van wat hij zou gaan doen. En zo kreeg Gehazi de melaatsheid die Naäman had.

Hetzelfde gebeurde met Ananias en zijn vrouw Saffira in Handelingen, hoofdstuk vijf. Ze verkochten een stuk van hun bezit en beloofden om het geld wat ze ervoor zouden krijgen aan God te offeren. Maar eens ze het geld in handen hadden, veranderde hun hart, en ze verborgen een deel van het geld voor zichzelf en brachten de rest naar de apostelen. In begerigheid om het geld, probeerden zij de apostelen te bedriegen. Maar het bedriegen van de apostelen is hetzelfde als het bedriegen van de Heilige Geest, dus onmiddellijk, verliet hun ziel hen, en zij stierven beiden op dezelfde plek.

Begeerlijke harten leiden tot de dood

Begeren is een grote zonde die uiteindelijk tot de dood leidt. Daarom is het vitaal voor ons om de begerigheid uit onze harten te verwerpen, alsook de verleidingen en hebzucht, die er voor zorgen dat wij de vleselijke dingen van de wereld willen. Want wat baat het u de gehele wereld te winnen en aan uw ziel schade te lijden?

Aan de andere kant, ondanks dat u niet alle rijkdommen van deze wereld hebt, wanneer u in de Here gelooft en het echte leven hebt, dan bent u een echt rijk persoon. Zoals we kunnen leren van de parabel van de rijke man en Lazarus, de bedelaar, in Lucas hoofdstuk 16, is het een ware zegen om redding te ontvangen na het verwerpen van een begerig hart.

De rijke man die geen geloof in God had en geen hoop voor de hemel, leefde een overvloedig leven – droeg de fijnste kleren, bevredigde zijn wereldse hebzucht, en genoot van het maken van plezier. Aan de andere kant, lag Lazarus, de bedelaar te bedelen bij de poort van de rijke man. Zijn leven was heel bescheiden; zelfs de honden likten aan de zweren op zijn lichaam. In het diepst van zijn hart, prees hij echter God en had altijd hoop voor de hemel.

Uiteindelijk stierven zowel de rijke man als Lazarus. De bedelaar, Lazarus werd door de engelen naar de schoot van Abraham gebracht, maar de rijke man ging naar het dodenrijk, waar hij werd gefolterd. Omdat hij dorstig was door de wanhoop en het vuur, wenste de rijke man een druppel water, maar zelfs die wens kon niet worden gelenigd.

Veronderstel dat de rijke man een tweede kans zou krijgen om hier op aarde te leven? Hij zou er waarschijnlijk voor kiezen om het eeuwige leven in de hemel te ontvangen, ondanks dat het betekent dat hij hier een arm leven moet leven. En voor iemand die hier heel arm is, zoals Lazarus, als hij alleen maar leert hoe God te vrezen en te leven in Zijn licht, kan hij ook de zegeningen van materiele rijkdom ontvangen terwijl hij hier op aarde leeft.

Nadat zijn vrouw, Sara stierf, wilde Abraham, de vader van geloof, het graf van Machpelah kopen om zijn vrouw daar te kunnen begraven. De eigenaar van het graf, zei tegen hem dat hij het zo mocht hebben, maar Abraham weigerde om het gratis aan te nemen, en betaalde er de volle prijs voor. Hij deed dit omdat hij geen enkel spoor van begerigheid in zijn hart wilde hebben. Wanneer het hem niet toebehoorde, dacht hij er zelfs niet over na om het te bezitten (Genesis 23:9-19).

Bovendien hield Abraham van God, en gehoorzaamde Zijn woord; leefde een leven van eerlijkheid en integriteit. Daarom, tijdens zijn leven hier op aarde, ontving Abraham niet alleen de zegeningen van materiele rijkdom, maar ook de zegeningen van lang leven, roem, macht, nakomelingen en veel meer. Hij ontving zelfs de geestelijke zegen om een "vriend van God" te worden genoemd.

Geestelijke zegeningen overtreffen alle materiele zegeningen

Soms vragen mensen nieuwsgierig, "Die persoon lijkt zo'n goede gelovige te zijn. Hoe komt het dat hij niet zoveel zegeningen ontvangt?" Als die persoon een echte volgeling van Jezus was, elke dag leefde met echt geloof, zouden wij zien dat God hem zegent met de beste dingen.

Zoals het staat geschreven in 3 Johannes 1:2, *"Geliefde, ik bid, dat het u in alles wèl ga en gij gezond zijt, gelijk het uw ziel wèl gaat,"* zegent God ons zodat het wel gaat met onze ziel, boven alle andere dingen. Wanneer wij leven als Gods heilige kinderen, alle slechtheid uit ons hart verwerpen en Zijn geboden gehoorzamen, zal God ons zeker zegenen, zodat het wel met ons gaat, inclusief onze gezondheid.

Maar wanneer iemand – met wiens ziel het niet goed gaat – lijkt alsof hij veel materiele zegeningen ontvangt, dan kunnen wij niet zeggen dat het een zegen van God is. In dat geval, kan zijn rijkdom ervoor zorgen dat hij hebzuchtig wordt. Zijn hebzucht baart dan zonde, en achtereenvolgens kan hij van God afvallen.

Wanneer situaties moeilijk zijn, zijn mensen met een rein hart misschien afhankelijk van God en dienen Hem ijverig met liefde. Maar te vaak, na het ontvangen van materiele zegeningen in ons bedrijf of werkplaats, begint hun hart te verlangen naar de dingen van de wereld en ze beginnen excuses te maken dat ze te druk zijn, en uiteindelijk groeit er een afstand tussen hen en God. Wanneer hun winst of verdiensten laag zijn, hebben zij de neiging om hun tienden te geven met hun hele hart uit dankzegging, maar wanneer hun verdiensten toenemen, en hun tienden ook zouden moeten toenemen, is het gemakkelijk voor hun harten om te wankelen. Wanneer ons hart zoals dit verandert, en we groeien van Gods woorden weg, en worden uiteindelijk zoals de mensen van de wereld, dan kunnen de zegeningen die wij hebben ontvangen uiteindelijk ons ongeluk voortbrengen.

Degenen wiens ziel echter voorspoedig is, zullen de dingen van de wereld niet begeren, en zelfs wanneer zij zegeningen van eer en geluk ontvangen van God, worden zij niet hebzuchtig naar meer. En ze zullen niet mopperen of klagen, omdat ze niet de goede dingen van deze wereld hebben; want ze zouden gewillig zijn om alles wat ze hebben – zelfs hun eigen leven – op te offeren voor God.

Mensen met wiens ziel het voorspoedig gaat, zullen hun geloof bewaken en God dienen, ongeacht in wat voor situaties zij zijn, en zij zullen de zegeningen die zij van God hebben ontvangen, alleen maar gebruiken voor Zijn koninkrijk en glorie. En omdat mensen met een voorspoedige ziel, niet de geringste neiging hebben om de pleziertjes van de wereld na te jagen, of op zoek zijn naar vrolijkheid, of wandelen op de weg van de dood, zal God hen overvloedig zegenen, en zelfs nog meer.

Om die reden zijn geestelijke zegeningen veel belangrijker dan de fysieke zegeningen van deze wereld, die verdwijnen als de dauw. En dus boven alle andere dingen, moeten wij eerst geestelijke zegeningen ontvangen.

Wij zouden nooit Gods zegeningen moeten zoeken om wereldse verlangens te bevredigen

Zelfs al hebben we de geestelijke zegeningen van de voorspoed van onze ziel nog niet ontvangen, wanneer wij voortdurend blijven wandelen op de weg van gerechtigheid en God zoeken met geloof, zal Hij ons vullen wanneer de tijd daar is. Mensen bidden dat iets onmiddellijk gebeurt; maar er is echter een tijd en een seizoen voor alles onder de hemel, en God kent de beste tijd. Er zijn tijden waar God ons laat wachten zodat Hij ons nog grotere zegeningen kan geven.

Wanneer wij God iets vragen vanuit echt geloof, dan zullen wij de kracht ontvangen om te blijven bidden totdat we een antwoord ontvangen. Maar, wanneer wij God om iets vragen, vanuit onze vleselijke verlangens, dan zullen wij ongeacht hoeveel wij bidden, geen geloof ontvangen om echt te geloven, en we zullen geen antwoord van Hem ontvangen.

Jakobus 4:2-3 zegt, *"Gij hebt niets, omdat gij niet bidt. (Of,) gij bidt wel, maar gij ontvangt niet, doordat gij verkeerd bidt, om het in uw hartstochten door te brengen."* God kan ons niet antwoorden wanneer wij iets vragen om onze wereldse verlangens te vervullen. Wanneer een jonge student zijn ouders om geld vraagt om dingen te kopen, die hij niet zou moeten kopen, dan zouden de ouders hem het geld niet geven.

Om die reden zouden wij niet moeten bidden of zoeken met onze eigen gedachten, maar eerder met de kracht van de Heilige

Geest, zouden wij moeten zoeken naar de dingen die in lijn zijn met Gods wil (Judas 1:20). De Heilige Geest kent Gods hart, en Hij kan de diepe dingen van God begrijpen; daarom, wanneer u afhankelijk bent van de leiding van de Heilige Geest, tijdens gebed, kunt u snel Gods antwoorden ontvangen op al uw gebeden.

Dus hoe worden wij afhankelijk van de leiding van de Heilige Geest en bidden wij overeenkomstig de wil van God?

Ten eerste, moeten wij onszelf wapenen met het woord van God, en Zijn woord toepassen in ons leven, zodat onze harten kunnen worden als dat van Christus Jezus. Wanneer wij een hart hebben zoals Christus, dan zullen wij vanzelfsprekend bidden overeenkomstig Gods wil, en kunnen wij snel een antwoord ontvangen op al onze gebeden. Dat komt omdat de Heilige Geest, die Gods hart kent, over ons hart zal waken, zodat we de dingen kunnen vragen die we echt nodig hebben.

Net zoals geschreven staat in Mattheüs 6:33, *"Maar zoekt eerst Zijn Koninkrijk en Zijn gerechtigheid en dit alles zal u bovendien geschonken worden,"* zoekt eerst God en Zijn koninkrijk, en vraag dan wat u nodig hebt. Wanneer u bidt terwijl u Gods wil eerst zoekt, zult u ervaren dat God Zijn zegeningen over uw leven uitgiet, zodat u met alles wat u hier op aarde nodig hebt overstroomd, en zelfs meer.

Daarom zouden wij voortdurend echte en oprechte gebeden

tot God moeten brengen. Wanneer u krachtige gebeden opstapelt door de leiding van de Heilige Geest op een dagelijkse basis, zal elke begerigheid of zondevolle natuur uit ons hart worden verworpen voor het goede, en zult u alles ontvangen waar u om vraagt in gebed.

De apostel Paulus was een burger van het Romeinse Rijk en studeerde onder Gamaliël, de beste en bekendste geleerde uit zijn tijd. Paulus was echter niet geïnteresseerd in de dingen van deze wereld. Om Christus' wil, achtte hij alle dingen die hij had voor vuilnis. Zoals Paulus, zijn de dingen waar wij zeker het meest naar moeten verlangen en liefhebben de leringen van Christus, of het woord der waarheid.

Wanneer wij alle rijkdom, eer, macht, enzovoort, verkrijgen van de wereld, en we hebben geen eeuwig leven, wat voor nut brengen deze dingen dan? Maar, wanneer wij, net zoals Paulus alle rijkdom van deze wereld verlaten en een leven leven naar de wil van God, dan zal God ons zeker zegenen, zodat onze ziel voorspoedig zal zijn. En dan zullen we "groot" genoemd worden in de hemel, en zullen wij ook succesvol zijn in alle gebieden van ons leven hier op aarde.

Dus, ik bid dat u elke hebzucht of begerigheid zult verwerpen uit uw hart en leven, terwijl u ijverig naar de tevredenheid zoekt voor de dingen die u reeds hebt, terwijl u uw hoop bewaart voor de hemel. Dan weet ik dat u een leven zult leiden dat overstroomt van dankzegging en vreugde.

Hoofdstuk 12

De Wet van verblijven met God

Spreuken 8:17

"Ik heb lief wie mij liefhebben, wie mij ijverig zoeken, zullen mij vinden."

In Mattheüs hoofdstuk 22, staat het verhaal waar één van de farizeeërs aan Jezus vraagt wat het grootste gebod in de wet is.

Jezus antwoordde, *"Hij zeide tot hem: Gij zult de Here, uw God, liefhebben met geheel uw hart en met geheel uw ziel en met geheel uw verstand. Dit is het grote en eerste gebod. Het tweede, daaraan gelijk, is: Gij zult uw naaste liefhebben als uzelf. Aan deze twee geboden hangt de ganse wet en de profeten"* (Mattheüs 22:37-40).

Dat betekent dat wanneer wij God met ons hele hart en ziel en denken liefhebben en onze naaste liefhebben als onszelf, wij dan ook alle andere geboden gemakkelijk kunnen gehoorzamen.

Wanneer wij werkelijk God liefhebben, hoe kunnen wij dan zondigen door datgene te doen wat God verafschuwt? En wanneer wij onze naaste liefhebben als onszelf, hoe kunnen we dan uit boosheid tegen hen handelen?

Waarom God ons Zijn geboden gaf

Dus, waarom ging God door de moeite van het geven van de tien geboden, in plaats van ons alleen te vertellen, "Hebt uw God en uw naaste lief als uzelf"?

Dat komt omdat in het Oude Testament, voor het tijdperk van de Heilige Geest, het moeilijk voor de mensen was om echt lief te hebben vanuit hun harten, vanuit hun eigen wil. Dus door de Tien Geboden, welke de Israëlieten genoeg bekrachtiging gaven om Hem te gehoorzamen, leidde God hen tot het liefhebben en vrezen van Hem, alsook tot het liefhebben van hun naaste door hun daden.

Tot zover, hebben we elk gebod wat dieper onderzocht, maar laat ons nu eens kijken naar de geboden als twee grote groepen: liefde voor God, en liefde voor onze naasten.

De geboden 1 tot en met 4 kunnen worden samengevat als, "Hebt de Here, uw God lief met geheel uw hart en met geheel uw ziel en met geheel uw denken." Alleen God, de Schepper dienen, geen valse goden maken of ze aanbidden, de naam van God niet ijdel gebruiken en de Sabbatdag heiligen zijn allemaal manieren van het liefhebben van God.

De geboden 5 tot en met 10 kunnen worden samengevat als "Hebt uw naaste lief als uzelf." Het eren van de ouders, de waarschuwing tegen moord, stelen, het geven van een vals getuigenis, begerigheid, enzovoort zijn allemaal manieren om te voorkomen dat we slecht handelen tegen anderen of onze naaste. Wanneer wij onze naaste liefhebben als onszelf, dan zouden wij niet willen dat zij door pijn gaan, dus zouden wij in staat moeten zijn om deze geboden te gehoorzamen.

We moeten God liefhebben vanuit het diepst van onze harten

God dwingt ons niet om Zijn geboden te gehoorzamen. Hij leidt ons om ze te gehoorzamen vanuit onze eigen liefde voor Hem.

Er staat geschreven in Romeinen 5:8, *"God echter bewijst zijn liefde jegens ons, doordat Christus, toen wij nog zondaren waren, voor ons gestorven is."* God toonde Zij grote liefde voor ons, eerst.

Het is moeilijk om iemand te vinden die gewillig is om te sterven voor een goed, of rechtvaardig persoon, of zelfs een goede vriend, maar God zond Zijn enige Zoon, Jezus Christus om in de plaats van zondaren te sterven, zodat zij vrij konden zijn van de vloek waar zij overeenkomstig de Wet onder waren. Dus God liet een liefde zien die de gerechtigheid overtreft.

En zoals geschreven staat in Romeinen 5:5, *"en de hoop maakt niet beschaamd, omdat de liefde Gods in onze harten uitgestort is door de heilige Geest, die ons gegeven is,"* geeft God de Heilige Geest als een geschenk aan al Zijn kinderen die Jezus Christus hebben aangenomen, zodat zij Gods liefde volkomen kunnen begrijpen.

Dit is de reden waarom degenen die gered zijn door het geloof en gedoopt zijn door water en de Heilige Geest, niet alleen God kunnen liefhebben met hun verstand, maar vanuit het diepst van hun hart, waardoor ze in Zijn geboden verblijven uit ware liefde voor Hem.

Gods oorspronkelijke wil

Oorspronkelijk, schiep God mensen omdat Hij ernaar verlangde om echte kinderen te hebben, die Hij kon liefhebben, en die Hem ook lief zouden hebben, vanuit hun eigen vrije wil. Maar wanneer iemand al Gods geboden gehoorzaamt, maar God niet liefheeft, hoe kunnen we dan zeggen dat hij een echt kind van God is?

Een ingehuurd man die voor een loon werkt, kan niet de zaak van zijn werkgever erven, maar het kind van de werkgever, die totaal anders is dan de ingehuurde man, kan de zaak erven. Evenzo, degenen die al Gods geboden gehoorzamen, kunnen al Zijn beloofde zegeningen ontvangen, maar wanneer wij de liefde van God niet begrijpen, kunnen wij niet Gods echte kinderen zijn.

Daarom, iemand de liefde van God begrijpt en in Zijn geboden verblijft, zal hij/zij de hemel beërven en kan leven in het mooiste deel van de hemel als Gods ware kind. Hij kan leven naast de Vader, in de glorie die zo stralend is als de zon voor alle eeuwigheid.

God wil dat alle mensen redding ontvangen door het bloed van Jezus Christus en die Hem liefhebben vanuit het diepst van hun harten zullen leven in het Nieuwe Jeruzalem, waar Zijn troon is, en voor eeuwig delen in Zijn liefde. Om die reden zei Jezus in Mattheüs 5:17, *"Meent niet, dat Ik gekomen ben om de wet of de profeten te ontbinden; Ik ben niet gekomen om te ontbinden, maar om te vervullen."*

Bewijs van hoeveel God ons liefheeft

Zoals dit, alleen nadat wij de ware reden begrijpen waarom God ons Zijn geboden gaf, kunnen wij de Wet vervullen, door de liefde die wij hebben voor God. Omdat we de geboden hebben, of de wetten, kunnen we fysieke liefde laten zien, welke een theoretisch concept is wat moeilijk te zien is met het fysieke oog.

Wanneer sommige mensen zeiden, "God, ik hou zoveel van u met mijn hart, dus zegen mij alstublieft," hoe kan de God van gerechtigheid hun verklaring valideren, wanneer er geen standaard is waarom zij het kunnen onderzoeken, voordat ze gezegend worden? Omdat we een standaard hebben, kunnen we de geboden of de Wet zien, wanneer ze werkelijk God liefhebben met hun gehele hart. Wanneer zij met hun lippen zeggen dat zij God liefhebben, maar de Sabbatdag niet heiligen, dan kunnen wij zien dat zij niet echt God liefhebben.

Dus, Gods geboden zijn een standaard waarmee we kunnen onderzoeken, of zien als bewijs, hoeveel wij werkelijk God liefhebben.

Daarom zegt het in 1 Johannes 5:3 *"Want dit is de liefde Gods, dat wij zijn geboden bewaren. En zijn geboden zijn niet zwaar."*

Ik heb degenen lief die Mij liefhebben

De zegeningen die wij ontvangen van God, als gevolg van het gehoorzamen van Zijn geboden, zijn zegeningen die niet verdwijnen of vervagen.

Bijvoorbeeld, wat gebeurde er met Daniël, die God behaagde, omdat hij echt geloof had en nooit een compromis sloot met de wereld?

Daniël werd oorspronkelijk geboren in de stam van Juda, een nakomeling van de familie van koningen. Maar toen Zuid Juda tegen God zondigde, deed koning Nebukadnezar van Babylon zijn eerste inval in de natie, rond 605 V.C. Op dat moment, werd Daniel, die toen nog heel jong was, gevangengenomen naar Babylon.

In overeenstemming met het acculturatie beleid van de koning, werden Daniel en enkele jonge mannen die gevangen genomen waren, uitverkoren om te leven in het paleis van Nebukadnezar en ontvingen Chaldeeën school gedurende drie jaren.

Tijdens die tijd, vroeg Daniel om niet het dagelijkse deel en drinken van de wijn van de koning te moeten eten, uit vrees dat hij zichzelf zou verontreinigen met het voedsel welke God hem verboden had te eten. Als een gevangene, had hij geen recht om eten wat door de koning werd voorgeschreven niet te eten, maar Daniël wilde hoe dan ook zijn geloof voor God zuiver bewaren.

En toen God Daniels oprechte hart zag, bewoog Hij het hart van de overste der hovelingen, zodat Daniel niet moest eten of moest drinken van de wijn van de koning.

En na verloop van tijd, werd Daniel, die volledig verbleef in Gods geboden, aangesteld als Eerste Minister over een heidens land, Babylon. Omdat Daniel een onwankelbaar geloof had dat hem bewaarde van het compromitteren met de wereld, had God welgevallen in hem. Dus, ondanks dat de natie veranderde, en koningen veranderden, bleef Daniel uitmuntend in al zijn wegen en bleef Gods liefde ontvangen.

Degenen die Mij zoeken zullen Mij vinden

We kunnen nog steeds dit soort zegeningen zien vandaag. Want bij iedereen die geloof heeft zoals Daniel, degenen die geen comprissen sluiten met de wereld en in Gods geboden verblijven met vreugde, kunnen we zien dat God hem met overvloedige zegeningen zegent.

Ongeveer tien jaar geleden, werkte een van onze oudsten voor één van de top financiële bedrijven in het land. Om hun cliënten te lokken, hield het bedrijf regelmatig vergaderingen om met hun cliënten te drinken, en de golf vergaderingen in de weekenden waren verplicht. In die tijd, was onze oudste nog een diaken, en na het ontvangen van deze positie en het begrijpen van Gods liefde, ongeacht de wereldse praktijken die het bedrijf hield, dronk hij nooit met zijn cliënten, en hij miste nooit een aanbiddingdienst op zondag.

Op een dag, zei de directeur van zijn bedrijf, "Kies tussen dit bedrijf of uw kerk." Hij was een standvastig persoon van nature en moest geen twee keer nadenken voordat hij antwoordde, "Dit bedrijf is belangrijk voor mij, maar wanneer u mij vraagt om te kiezen tussen dit bedrijf en mijn kerk, dan zal ik voor mijn kerk kiezen."

Op wonderlijke wijze, raakte God het hart van de directeur aan, en hij kreeg een hoger niveau van vertrouwen in de oudste, en uiteindelijk ontving hij zelfs een promotie. Dat was nog niet alles. Spoedig daarna, volgden nog een serie van promoties, de oudste kwam zelfs tot de positie van directeur van een bedrijf!

Dus, wanneer wij God liefhebben en proberen te verblijven in

Zijn geboden, zal God ons verhogen in alles wat wij doen, en Hij zal ons op alle gebieden van ons leven zegenen.

In tegenstelling tot de wetten die gemaakt zijn door de maatschappij, veranderen Gods beloofde woorden niet met de tijd. Ongeacht, in wat voor tijd wij leven, en ongeacht wie wij zijn, wanneer wij eenvoudigweg gehoorzamen en leven overeenkomstig Gods woorden, kunnen wij Gods beloofde zegeningen ontvangen.

De wet van het verblijven in God

Daarom, onderwijzen de Tien Geboden, of de Wet welke God aan Mozes gaf, ons de standaard waardoor wij Gods liefde en zegeningen kunnen ontvangen.

En zoals het geschreven staat in Spreuken 8:17, *"Ik heb lief wie mij liefhebben, wie mij ijverig zoeken, zullen mij vinden,"* overeenkomstig hoeveel wij in Zijn wetten verblijven, dat is hoeveel wij kunnen ontvangen van Zijn liefde en zegeningen.

Jezus zei in Johannes 14:21, *"Wie mijn geboden heeft en ze bewaart, die is het, die Mij liefheeft; en wie Mij liefheeft, zal geliefd worden door mijn Vader en Ik zal hem liefhebben en Mijzelf aan hem openbaren."*

Lijken de wetten van God zwaar of dwingend? Maar wanneer wij God echt liefhebben vanuit het diepst van onze harten, dan kunnen wij ze gehoorzamen. En wanneer wij onszelf kinderen van God noemen, zouden wij vanzelfsprekend in ze moeten verblijven.

Dit is de manier om Gods liefde te ontvangen, de manier om bij God te zijn, om God te ontmoeten, en Zijn antwoorden op onze gebeden te ontvangen. Het belangrijkste is, dat Zijn Wetten ons weg houden van de zonde en ons bewegen naar de weg van redding, dus wat een grote zegen is Zijn Wet!

De voorvaders van het geloof zoals Abraham, Daniel, en Jozef, ontvingen de zegeningen van het betreden van hoge posities in landen, omdat zij nauw verbleven bij Zijn Wet. Ze ontvingen zegeningen in hun ingaan en ze ontvingen zegeningen in hun uitgaan. Ze genoten niet alleen van de zegeningen in alle gebieden van hun leven, maar zelfs in de hemel, ontvingen zij de zegen van het binnengaan in de glorie zo stralend als de zon.

Ik bid in de naam van onze Heer, dat u voortdurend uw oren zult neigen naar Gods woorden en u zult verblijven in de Wet van de Here en er dag en nacht op zult mediteren, en daarbij volledig zult leven.

"Zie, hoe ik uw bevelen liefheb;
Here, maak mij levend naar uw goedertierenheid.
Zij, die uw wet liefhebben, hebben grote vrede,
er is voor hen geen struikelblok.
Op uw heil hoop ik, o Here,

en uw geboden doe ik.
Mijn tong zal uw woord bezingen,
want al uw geboden zijn gerechtigheid."
(Psalm 119:159, 165, 166, 172).

De auteur: Dr. Jaerock Lee

Dr. Jaerock Lee werd geboren in Muan, Provincie Jeonnam, Republiek van Korea, in 1943. In zijn twintiger jaren, leed Dr. Lee aan verschillende ongeneeslijke ziektes gedurende zeven jaar en wachtte op zijn dood zonder enige hoop op herstel. Op een dag in de lente van 1974, echter, werd hij naar een kerk geleid door zijn zuster en toen hij neerknielde om te bidden, genas de levende God hem onmiddellijk van al zijn ziektes.

Vanaf die tijd, ontmoette Dr. Lee de levende God door deze wonderlijke ervaring, hij heeft God lief met zijn hele hart en in oprechtheid, en in 1978 werd hij geroepen om een dienstknecht van God te zijn. Hij bad vurig zodat hij duidelijk de wil van God kon begrijpen en deze volledig te vervullen en alle woorden van God te gehoorzamen. In 1982, richtte hij de Manmin Kerk op in Seoul, Zuid-Korea, en ontelbare werken van God, inclusief wonderlijke wonderen van genezing en tekenen, hebben plaats gevonden in zijn kerk.

In 1986, werd Dr. Lee aangesteld als een voorganger in de jaarlijkse vergadering van Jezus' Sungkyul Gemeente van Korea, en 4 jaar later in 1990, werden zijn boodschappen uitgezonden in Australië, Rusland, de Filippijnen en nog meer landen door het Verre Oosten Televisie Bedrijf, het Televisie Bedrijf Azië, en het Washington Christelijke Radio Systeem.

Drie jaar later in 1993, werd de Manmin Centrale kerk uitgekozen tot een van de "werelds top 50 kerken" door het *Christian World* magazine (US) en hij ontving een Ere doctoraat van Godgeleerdheid van het Christian Faith College, Florida, USA, en in 1996 een Dr. in de Bediening van Kingsway Theologische Seminarium, Iowa, USA.

Sinds 1993, heeft Dr. Lee de leiding genomen in de wereld zending door vele overzeese campagnes in Tanzania, Argentinië, L.A., Oeganda, Japan, Pakistan, Kenia, de Filippijnen, Honduras, India, Rusland, Duitsland, Peru, Democratisch Republiek van Kongo, en Israël en Estonia.

In 2002 werd hij een "wereldwijde opwekkingsprediker" genoemd door een groot Christelijk Nieuwsblad in Korea, vanwege zijn krachtige bedieningen tijdens buitenslands campagnes. Vooral, zijn "New York campagne in 2006" welke gehouden werd in de Madison Square Garden, de beroemdste arena ter wereld, werd uitgezonden in meer dan 220 naties, en zijn 'Israel Verenigde Campagne in 2009' welke gehouden werd in het International Convention Center in Jeruzalem, waar hij vrijmoedig Jezus Christus verkondigde als de Messias en Redder. Zijn boodschap werd uitgezonden in 176 landen via satelliet inclusief GCN TV en hij stond op de Top 10 lijst als zijnde een van de meest invloedrijke Christelijke leiders van 2009 en 2010, door een bekend Russisch Christelijke magazine *In Victory* en nieuwe bureau *Christian Telegraph* voor zijn krachtige TV uitzendingen en buitenlandse kerk-en pastorbediening.

Vanaf januari 2016, is de Manmin Central Church een gemeente met meer dan 120,000 leden en 10,000 binnenlandse en buitenlandse aftakkingen van de kerk over de hele wereld, inclusief 56 binnenlandse dochtergemeenten, en heeft meer dan 103 zendelingen uitgezonden naar 23 landen, inclusief de Verenigde Staten, Rusland, Duitsland, Canada, Japan, China, Frankrijk, India, Kenia, en veel meer.

Tot de datum van deze publicatie, heeft Dr. Lee 100 boeken geschreven, inclusief bestsellers als *Het Eeuwige Leven Smaken voor de Dood, Mijn Leven, Mijn Geloof I & II, De Boodschap van Het Kruis, De Mate van Geloof, De Hemel I & II, De Hel,* en *De Kracht van God,* en zijn werken zijn vertaald in meer dan 75 talen.

Zijn christelijke columns verschijnen in *The Hankook Ilbo, The JoongAng Daily, The Dong-A Ilbo, The Chosun Ilbo, The Munhwa Ilbo, The Seoul Shinmun, The Kyunghyang Shinmun, The Korea Economic Daily, The Korea Herald, The Shisa News,* en *The Christian Press.*

Dr. Lee is tegenwoordig oprichter en president van een aantal zendingsorganisaties en verenigingen: evenals voorzitter, De Verenigde Heiligheid Kerk of Jezus Christus; President, Manmin Wereld Zending; Blijvend President, Van de Wereld Christelijke Opwekkingsvereniging; Oprichter en bestuursvoorzitter, Wereld Christelijke Netwerk (GCN); Oprichter en Bestuursvoorzitter, De Wereld Christen Doktors Netwerk (WCDN); en Oprichter en Bestuursvoorzitter, Manmin Internationale Seminarium (MIS).

Andere krachtige boeken van dezelfde auteur

De Hemel I & II

Een gedetailleerde weergave van de prachtige leefomgeving waar de hemelburgers van zullen genieten en een mooie beschrijving van de verschillende niveaus van hemelse koninkrijken.

De Boodschap van Het Kruis

Een krachtige boodschap voor alle mensen om degene wakker te maken die geestelijk slapen! In dit boek kan je de reden vinden waarom Jezus de enige Redder is en de ware liefde van God.

De Hel

Een ernstige boodschap voor de gehele mensheid van God, die wenst dat niet een ziel valt in de diepten van de hel! U zult ontdekken de nooit-eerder-geopenbaarde weergave van de wrede realiteit van het Onder Graf en de Hel.

Geest, Ziel en Lichaam I & II

Een gids welke ons geestelijk begrip geeft van geest, ziel en lichaam en ons helpt om te ontdekken wat voor soort "zelf" wij hebben gemaakt, zodat wij de kracht kunnen verkrijgen om de duisternis te vernietigen en een geestelijk persoon kunnen worden.

De Mate van Geloof

Wat voor soort verblijfplaats, kroon en beloningen zijn er voor u voorbereid in de hemel? Dit boek is voorzien van wijsheid en leiding om uw geloof te meten en te ontwikkelen tot het beste en meest volwassen geloof.

Maak Israël Wakker

Waarom heeft God Zijn ogen over Israel bewaard vanaf de grondlegging der wereld tot op vandaag? Welke voorziening heeft Hij voorbereid voor Israel in deze laatste dagen, die op de Messias wacht?

Mijn Geloof, Mijn Leven I & II

Een zeer welriekende geestelijke geur onttrokken uit het leven dat bloeide met een onmetelijke liefde voor God, te midden van de donkere golven, koud juk en de diepste wanhoop.

De Kracht van God

Een boek wat gelezen moet worden, welke dient tot een noodzakelijke handleiding waardoor iemand echt geloof kan bezitten en de wonderlijke kracht van God kan ervaren.

Milton Keynes UK
Ingram Content Group UK Ltd.
UKHW010338250624
444652UK00004B/300

9 791126 305490